自分の〈ことば〉をつくる

あなたにしか語れないことを表現する技術

細川英雄

ディスカヴァー
携書
231

一番大切なことは単に生きるのではなく、善く生きることだ。

ソクラテス（紀元前４７０年頃―紀元前３９９年）『クリトン』

わが友・悠吾へ

まえがき――この本を手にとった方へ

表現するための方法を求めるあなたに

今、あなたは、何かを表現するために、その方法を求めようとしています。

では、あなたが何かを表現しようとするとき、もっとも重要なことは何でしょうか。

それは、「自分の〈ことば〉をつくる」ということです。

言い換えれば、あなたでなければできないことを表現するということでもあります。少し大げさに言えば、あなたという存在の生きる意味を追求することともつながっています。

ところが、プレゼンや文章に関する、いろいろなマニュアルをひも解いたり、さまざまな解説本を手にとったりしてみても、どれも自分にピッタリ来るものはありません。どうしたらいいかについては、なかなか具体的な実感がともなわないものでしょう。

それは、自分の〈ことば〉というものが、出来上がったものを他から受け取ることでは発見できないからなのです。自分の〈ことば〉を発見することは、それぞれの社会での相手とのやりとりの中で、表現すべき内容と自分との関係にしっかり向き合うことです。

自分の〈ことば〉をつくるために

自分の〈ことば〉をつくるためには、自分の中にあることば（考えていること）をどのようにして自覚するかということと、そのことばをどのようにして他者に伝えることば（表現）にするかの二つがポイントとなります。つまり、「考えていること」を「ことば」にする表現のあり方が問われるからです。

あなた自身が考えていることを相手に伝えるためには、あなた自身の〈ことば〉の中身が不可欠です。その中身とは、あなたにしか語れないことであり、あなたの全存在を賭けて相手に問いかけるものであるとも言えるでしょう。この、あなたにしか語れないことを、この本では「自分のテーマ」と呼びます。あなたの中にある自分のテーマこそが、この中身なのです。

世の中には、何かを発表したり書いたりするためのマニュアルはそれこそ星の数ほど出版されています。

しかし、表現するということと、あなたの日常の生活や仕事とはどのような関係があるのでしょうか。そしてまた、今のあなたにとって、何かを表現しなければならない状況とは、どのようなものなのでしょうか。

どのような状況にあるとしても、表現するということについて特別なイメージを持っていませんか。おそらく、あなたは、自分の考えていることを自分以外の他人に伝えるという行為をとても大変な作業だと考えているし、しかも、この他人が不特定多数の対象であるとき、あなたは具体的な方法を持っているわけではないでしょう。

だからこそ、あなたは、星の数ほどあるマニュアル本に目を奪われ、あたかもそこに具体的な方法が記述されていて、それに従えば、自分もそうした特別な方法で特別な人になれるかのような錯覚に陥るのではないでしょうか。

しかし同時にまた、この世に本当に魔法使いの杖など存在するはずがないことはだれでも知っているのです。マニュアル本は、形式に関する方法を記述することで、ある程度の安心をあなたに与えることになりますが、それは根本的な解決にはならないこともあなたはよくわかっているはずです。

だからこそ、あなたは、自分にしか語れないことをあなたのことばで発信することが必要なのです。あなた自身の考えていることをあなたのことばによって自分のテーマとして相手に伝えるための表現という活動をはじめてみませんか。これが、この本のめざすところです。

あなたはこの本をどう読むか

この本には、あなたが「考えていること」をそのまま「ことば」にするために必要な事項について書かれています。なぜなら、あなたが自分のことばで語るために大切なのは、とにかく「ことば」にすること、そしてそのための「考えること」のプロセスだからです。

しかし、なかなか難しいのが、「考えていること」を「ことば」にするプロセスと、自分のテーマを持つという実際の感覚です。一度でもこのプロセス、もしくはこのプロセスに近いものを経験したことのある読者は想像的にこのプロセスについていけるのですが、まったくの未経験者で本当に想像もつかない読者には、ここに書かれていることが机上の空論のような理想論で、それこそ自分事として読めないだろうと予想できます。

そこで、そうした活動への「イメージがわかない」という方への語りかけのようなものとして、「自分のことばで語るときまで」という、高校生・千葉修作くんの体験記をエピソードとして巻末に掲載しました。

この本の読者には、新書という体裁もあって、社内外でのプレゼンや企画書・報告書の作成を課題としているビジネスパーソンの方々が多いかもしれませんが、千葉くんのエピソードは、学生や教育関係者だけではなく、広く表現とその活動の原点について考えようとする人にとって示唆に富むものです。とくに、本文を読んで、「じゃ、どうすればいいの?」と感じる向きは、まずこの体験記から入ってみてはいかがでしょうか。

自分のテーマを語るために、具体的にどのような活動をすればいいのかという質問は、今まで数多く受けてきました。現実問題として、このように○○すれば、このように上達するというマジックはそもそも存在しないのですが、千葉くんのレポート作成プロセスは、そのまま自分が「考えていること」を表現するために必要な悪戦苦闘の経験の記録になっています。

あなたの表現活動にとって大切なのは、とにかく表現すること、そしてそのための「考えること」の循環プロセスです。ここでは、活動メンバーのやりとりと千葉くんの一人称の語りを通して、表現活動における対話とそのプロセスを追体験できるのではないかと期待します。

ことばを自分のものとする技法をめざして

さらに、この表現という活動が、自分のことばの獲得としてきわめて深い意味を持つという点に、この本では注目しています。ことばの獲得というと、文字が読めたり書けたりするようになることをはじめとして、ことばを習得すること、言語が上手になるように、語彙や文法を覚えることというとらえ方が一般的だと思います。これは母語でも第2言語でも外国語でも同じことでしょう。学んでいる当人たちにとっても、ことばの学習とは、そうした知らない知識を覚えるという感覚を持っているでしょう。

しかし、これまでの説明からもわかるように、自分のことを語り、その中身をめぐって、さまざまな人たちと対話を繰り返すうちに、いつの間にか、ことばを学んでいるという意識を離れ、自分と相手との間に立ち現れる感覚、ここに、たしかなテーマをめぐって、心も身体ものめりこむようにして対話をつづけるあなた自身の姿がうかびあがってきます。

これからの自らの生を充実させていくために、あなた自身の固有のテーマを見出し、それを他者と共有しつつ、この社会をどのようにつくるかを他者とともに考えつづけること、この過程において、あなたは、いつのまにか「成長」した自分に気づくことでしょう。

ここでは、まずは、自分を実験台とし、この自分プロジェクトの中に入り込んでみましょう。このプロジェクトで行われていることを、それぞれの仕事、学業、家庭等のさまざまなところで試してみてはどうでしょうか。

たしかに、ことばの力を身につけることは、そうたやすいことではありません。しかし、その〈考えること〉と〈ことばにすること〉のプロセスを理解し、自分の言いたいことを探り、他者に向けてたえずメッセージを発信することで、その力は確実に向上します。

自分の中のいくつかの考えを一つにまとめ、それによって人と意見を交換するという活動、つまり、あなたの考えていることを自分のテーマとしてことばにするという試みは、あなたにとってかけがえのない貴重な活動だといえるでしょう。

考えていることをことばにすること、そして、そのことばを自分のものとして操るための、あなた自身の技法を、今ここで発見できるかもしれません。

この本は、自分のテーマを自分のことばで語る力を身につけたいと考えるすべての人のためにあります。

自分の〈ことば〉をつくる　**目次**

第3章　自分のテーマで対話する

格言の出典

本扉裏

ソクラテス（紀元前470年頃―紀元前399年）『クリトン』
『ソクラテスの弁明・クリトン』プラトン著、久保勉訳、岩波文庫、
1964年

第1章扉裏

レオナルド・ダ・ヴィンチ（1452―1519）『レオナルド・ダ・
ヴィンチの手記』杉浦民平訳、岩波文庫、1954年

第2章扉裏

イヴァン・イリイチ（1926―2002）『シャドウ・ワーク』
玉野井芳郎・栗原彬訳、岩波書店、1990年

第3章扉裏

ヘンリー・デヴィッド・ソロー（1817―1862）『森の生活
―ウォールデン』神吉三郎訳、岩波文庫、1979年

第1章

自分のテーマを発見する

欲望を伴わない学習は記憶を損ない、記憶したことを保存しない。

レオナルド・ダ・ヴィンチ（1452―1519）

『レオナルド・ダ・ヴィンチの手記』

あなたが何かを表現しようとするとき、もっとも大切なことは、自分のテーマをあなたのことばで語るということです。なぜなら、表現するということは、あなた自身を表すことであり、それはあなたにしかできないことだからです。

あなた以外のだれでもできることを、あなたが表現したところでどんな意味があるのでしょうか。あなた自身が機械の歯車の一部のような存在であることを望んでいるならともかく、この世にあなたという存在はあなたしかいないのですから、あなたが自分のテーマを語らなければ、あなたがこの社会にいる意味を失ってしまいます。

ですから、あなたにとって、あなた自身のことばで自らのテーマを語ることの意味は何よりも貴重なのです。

１　自分のテーマとは何か

テーマとオリジナリティ――テーマを発見するための手順

では、自分のテーマとは何でしょうか。
この課題は、かなり大きな問題を含んでいるため、ここでは、次のような手順を踏んで考えてみることとします。

オリジナリティ
←
興味・関心
←

問題関心

←問題意識

←自分のテーマ

はじめに、あなたが何かを表現しようとするとき、もっとも大切なことは、自分の〈ことば〉をつくるということだと述べました。そのためには、自分のテーマが不可欠であるとも説明しました。だからこそ、あなたは、自分にしか語れないことをあなたのことばで発信することが必要なのだということです。

では、あなたの自身の考えていることをあなたのことばにして相手に伝えるための表現という活動の中心の核は、何でしょうか。

あなたでなければできないこと、少し大げさに言えば、あなたという存在の生きる意味とは、あなた自身のオリジナリティ（固有性）でしょう。

では、まずオリジナリティの問題から入っていきます。

自分のオリジナリティを出す

さて、オリジナリティというと、何か突飛なもの、特異で変わったものというイメージがあるかもしれませんが、そうではありません。ここでいうオリジナリティとは、他からの借り物でない、自分の考えとその表現という意味です。

表現活動が自分の考えを明確にするという性格のものである以上、この問題は避けて通れません。なぜ自分の考えを明確にしなければならないかといえば、話す／語るという行為において、あなたがめざすものは、最終的には、あなたでなければできないものを求めるからです。これが、自分のオリジナリティを出すということです。

では、なぜオリジナリティを問題にするかといえば、それは、「考えること」（思考）と「表すこと」（表現）の両方がその人固有のものであり、それはその人にしかできないものであるからなのです。

従来の考え方では、すぐれた表現を作品として分析し、そこで得られた成果を応用することで、すぐれたものを生み出すことができると考えられてきました。

ところが、この考え方の最大の問題点は、この成果が目的化してしまって、その目的としてのモデルを得るための目的主義（目的以外は何も見えなくなってしまうこと）に陥りやすいことなのです。

もしその成果をモデル化してマニュアルを作成し、だれでもできるものが出来上がるならば、皆同じようなステップを踏んで同じように上達することでしょう。

ところが、現実はそうではありません。モデルを示したからといって、皆同じようになるわけではないのです。あたかもそのような幻想を抱かせることが、学習や教育の目的となってしまっているところに大きな落とし穴があるわけです。

世界にたった一人の自分

まずわたしたち人間は、一人ひとりすべて異なり、同じ人間はこの世に存在しないということを確認しましょう。

考えてみれば当たり前の話なのですが、この世界にたった一人の自分ということについて、あなたはどのように考えますか。

世界でたった一人の存在である自分であるにもかかわらず、他の人と自分を比べて、何か足りないように感じたり、あるいは、他の人と同じようになりたいと思ったりすることはありませんか。

人はみな一人ひとり違うのですから、まずこの世界にたった一人であるという認識から出発してみることにしましょう。

では、なぜあなたは世界でたった一人なのでしょうか。

それは、生物的な個体差という意味だけではなく、あなた自身の思考と表現の成果として、つまりあなた自身の精神のオリジナリティとして、あなたの存在は、この世で唯一だと言えるのです。それこそが、あなたのオリジナリティであるということもできます。

だからこそ、あなたは自分にしかできないことを求められるのだとも言えるのです。

このような観点に立ったとき、表現するという行為は、おのずと、あなたにしか表現できないものを求める活動として位置づけられることになるでしょう。

この世界に、まったく同一の個人が二人いるはずはありません。

どんな人でも人間であるかぎり、何らかのオリジナリティを持っています。

したがって、その人、つまりあなたの存在そのものが固有なのだということができます。

オリジナリティはどこにあるのか

では、オリジナリティはどこにあるのでしょうか。

オリジナリティは、自分固有のものなのだから、当然、自分の中にあるとだれしも考えがちです。しかし、本当にそうでしょうか。

このオリジナリティが実際にどこにあるのかということはそれほど明確なわけではありません。この、オリジナリティはどこにあるのか、という課題について、わたしたちは改めて考える必要がありそうです。

このオリジナリティというものがどこにあるのかということを考えるために、まずは人

理解と表現のプロセス

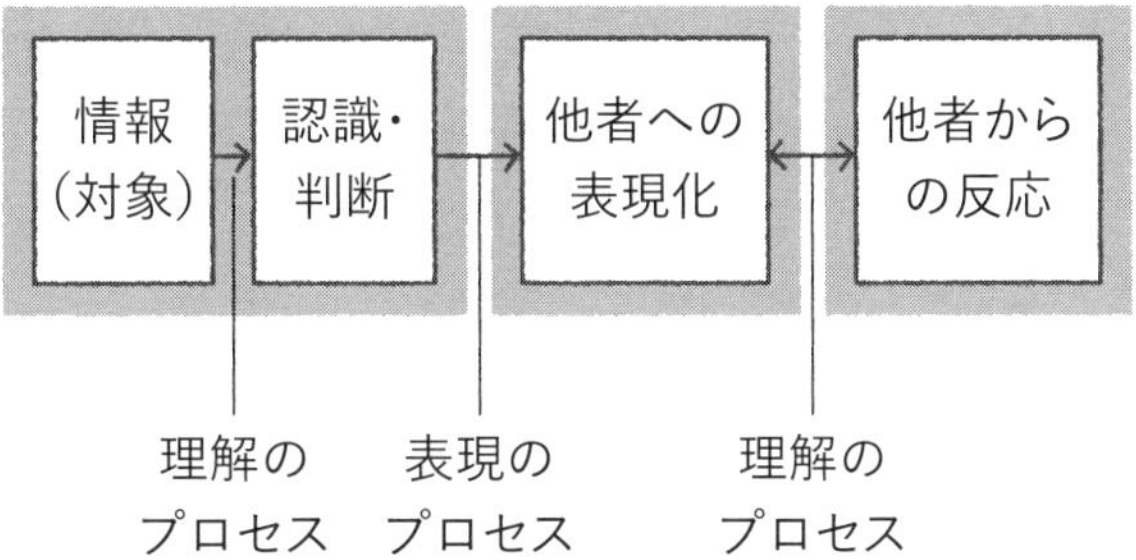

間の思考としての「考えていること」がどのように表現されるのか、確認してみましょう。

あなたは、自分の周囲にある情報を受け取り、それを認識・判断そして解釈して、相手に伝えようとします。それから相手からの反応を待つでしょう。

この一連の活動があなたの理解と表現のプロセスなのです。

このことを図にしたものが、前ページの「理解と表現のプロセス」です。

この図は、人間の思考としての「考えていること」は、どのように表現化されるのか、という問いに対して、理解と表現のプロセスを想定してみたものです。

この図からは、対象としての「情報」を取り込んで、それに対しての自分の「考えていること」の把握が始まり、その「把握したもの」をどのようにして相手に伝達するかというプロセスがあり、さらに、それに対する相手からの反応の確認があってはじめて、コミュニケーションが成立するという相互関係が見えてくるでしょう。

こうしたコミュニケーションの行き来（往還）を支えるものは、まず理解のプロセスであり、それは、主として「聞く」「読む」という行為によって行われます。この段階で、さまざまな感覚や感情のフィルターを通して、わたしたちは次の段階に進みます。

その次の段階が、「話す」「書く」という表現のプロセスです。この表現のプロセスのためには、自分の「言いたいこと」「考えていること」が明確でなければなりません。つまり、思考の表現化が不可欠です。ただ、この段階で、すべての思考が自分にとって明らかになっているとは言いがたいわけで、多くの場合、「何を言ったらいいかわからない」という状況がこの段階で現出します。それはつまり、自分の「言いたいこと」「考えていること」が明確になっていないからなのです。

そこで必要になるのが、他者からの反応としての理解のプロセスです。自分の表現したことが相手に伝わったか、伝わらないかを自らが確かめることによって、自分の「言いたいこと」「考えていること」がようやく見えてくるということになります。

この自分の「言いたいこと」「考えていること」は、あなたにしかないものですから、実はここに、あなたのオリジナリティというものがあるわけなのです。

しかし、このとき見えてきたものは必ずしも当初自分が言おうとしていたものとは同じではないことに気づく場合も多いのです。というよりも、当初の自らの思考がどのようなものであるかはだれにもわからず、この理解と表現のプロセスの中で次第に形成されるものというほうが適切であるようです。

オリジナリティはやりとりの中から生まれる

ここで考えなければならないことは、人は、その成長する段階でその社会や文化の影響を受けつつ、さまざまな人との交流の中ではぐくまれてきているわけなので、その結果としてのモノの見方は、すべて個人の「メガネ」を通して観ているということです。つまり、何を考えようが、感じようが、すべては自分を通しているわけで、対象をいくら客観的に観察し、事実に即して表現しようとしたところで、それらはすべて自分というメガネを通した思考・記述でしかあり得ないということになります。

このように考えると、オリジナリティとは、「私」の中にはじめから明確に存在するものであるとは言いがたいことがわかってきます。

すでに述べたように、自分の「言いたいこと」「考えていること」は、相手とのやりとりの中で次第に姿を現すものだと考えることができるからです。したがって、オリジナリティが個人の中に固定的にあるものだという考え方にとらわれているとまた、自らにあるものが見えにくくなります。

原野守弘『クリエイティブ入門』という本の中で、「創造とは、「借りて」「盗んで」「返す」というプロセスの繰り返し」と指摘されています。

人がものをつくりあげるということは、もともとゼロから始まるわけではなく、他者の仕事を「借りて」「盗んで」「返す」ということであるとすれば、そこに本来的なオリジナリティが存在するのではなく、他者とのやりとりのプロセスにおいて、さまざまな刺激を受けつつ、それを自分のものにして、最終的には、自分のことばとして表現するということになります。

ですから、自分の中にはじめからオリジナリティがあり、それを発見することに夢中になっても、なかなか見つからないということになるわけです。オリジナリティ幻想と呼ばれる所以《ゆえん》です。

オリジナリティは、はじめから「私」の中にはっきりと見えるかたちで存在するものではなく、他者とのやりとりのプロセスの中で少しずつ姿を見せ始め、自分と環境の間に浮遊するものとして把握されるからです。

こうしたことは、表現という行為をすべて一つのプロセスとして捉えることから始まります。最終的に出来上がったかたちだけを対象としてきた従来の考え方の中で、オリジナリティが取り上げられにくかった一つの要因がここにあると考えられます。

オリジナリティのもとは自分の「好き」

自分のオリジナリティを出す、というのが、表現するための重要な立場であることを述べました。

オリジナリティとは、自分の中の、自分にしかないもの、つまり、あなたの固有性です。

このオリジナリティが、あなた自身の固有のテーマをつくります。

あなたにしか表現できないもの、それがあなたの固有のテーマとなります。

このテーマは、自分で決めなければなりません。

では、自分で決めなければならないテーマとは、いったい何でしょうか。

テーマとは、自分にとって最も重要なこと、大切だと思われる事柄です。

それが決まるのは、自分の好きなこと、自らの興味・関心によります。

なぜなら、人は基本的に、自分の好きなこと、興味・関心に即して行動しているからです。

子どもならともかく、いい大人が好き放題にしていたら、この社会では生きていけない、こんなふうにあなたは思っていませんか。

こうした発想自体がすでに管理社会のなかで、自分のオリジナリティを失い、想像／創造の力を吸い取られている証拠です。

まず、人は自由に生きなければ人であることができません。

自由に生きたいと思うことは、人間の生存の原理であり、これはもっとも尊重されなければならないことなのです。

ですから、まず、あなたは、自由でありたいと願い、その自由であるためには、自分の好きなこと、つまり興味・関心に即して、何かを考えることから始めることになるのです。

コラム1　思ったことを感じたまま表現していい

これまで何かを書こうとして、「思ったことを感じたままに表現するだけではダメだ」とだれかに指摘されたことはありませんか。

小学生から中学生ぐらいまでは、「思ったことを感じるままに書けばいいのよ」と学校の先生に言われてきたのに、高校ぐらいから「思ったことを感じたままに表現するだけではダメだ」と指摘されるようになり、大学になると、「レポートは感想文じゃない」と指導教授から断言されるようになるでしょう。

「感想文＝思ったことを感じたままに書いたもの」かどうかは議論の余地がありますが、なぜ「思ったことを感じたままに表現するだけではダメ」なのでしょうか。

わたしの結論から言えば、「思ったことを感じたままに書いていい」のです。否、「思ったことを感じたままに表現するべき」なのです。たとえば、小さな子どもたちが集まったりすると、みな床に座り込んで色鉛筆で不思議な魅力に満ちた絵を描き始める光景に出会うことがしばしばありますね。描きたいという欲求のままに何かを描くということはとても重要なことだろうとわたしは思います。

こうしたことは、文章の場合も同じでしょう。「思ったことを感じたままに表現する」ことは、本来的には人間にとって魅力的な活動なのです。

たとえば、戦前から戦後にかけての生活綴り方教室の活動でも、また識字教育で盛んに行われている自分のことを表現する作文等でも、書き手一人ひとりのいきいきとした姿には心を打たれるものがあります。

つまり、その人が十分に「思ったことを感じるままに表現する」ことによって、相手に強い共感を生むことは大いにありうるからです。このことは、すでに多くの現場で事実として確認されていることですから、あえてわたしがここで主張するようなことでもないかもしれません。

ところが、では、なぜ高校ぐらいからは「思ったことを感じたままに表現するだけではダメだ」と言われるようになり、大学になると、「レポートは感想文じゃない」と指導教授から断言されるようになるのでしょうか。

この原因として、評価における主体の不在の問題を指摘したいとわたしは思います。具体的にどういうことかというと、個人の外側にある「何か」に自分をあわせることが必要だという考え方です。たとえば、大学入試の小論文の場合、「客観」的な視点から表現することが必要だという前提があります。それは、すでに与えられたトピックにはあらかじめ答えが想定されているわけですから、この外側からの答えに自分の考えを限りなく添わせることが「客観」的だと解釈されてしまうことです。大学の授業レポートになると、この基準が「学術」という名の「客観」に入れ替わるだけで構造は同じです。

そして、もっとも問題なのは、この「客観」は個人の外側にあると思われていますが、具体的にどのようなものかははっきりしないものであるという点です。これは、いわば宛て先のない手紙のようなもので、だれに向けてのどのような客観なのかがはっきりしないのです。

このことは、「他者」の問題ともかかわるのですが、自分がどのように見られるか、つまりどう評価されるかという問題とも直結しています。本来、評価というものは、評価する人がいて、評価される物・人がある／いるという関係で成り立つものです。

しかし、「世の中ではこうだ」とか「みんながそう思っている」という漠然とした評価になると、その評価主体の立場とその基準がどこにあるのかがわからなくなります。

小論文の場合は大学入試、大学の授業レポートの場合は学術という、それぞれの権威に寄りかかってしまい、評価する側も評価される側も「なぜそうなのか」という問いを忘れたまま制度的に放置されてしまっているからでしょう。別の言い方をすると、近代の学校教育は、そうした宛て先のない権威性に気づかせないような制度となってきたのかもしれません。この制度の中で、いつの間にか評価の行為主体は、自らの責任を取らないことに無自覚になってしまったということになります。

自分が相手に何を伝えたいかよりも、相手に自分がどう見られるか、どう評価されるかが個人の関心の中心になるというのも、この政治的な現実によるものなのかもしれません。

こうした世界では、「こういう決まり文句を入れておけば、いい表現のかたちになるはず」と形式に寄りかかっただけの中身のないモノが大量生産されることになるでしょう。それは書き手自身の課題ではありますが、そうした自分の外側に基準があると思い込んでしまう風潮です。これを自覚するのもまた、表現者としての意味を考えることになります。

（細川英雄『論文作成デザイン』より）

2 「好き」から問題意識へ

自分の興味・関心とは何か

自分にとってもっとも重要なこと、大切だと思われる事柄を決めるのは、自分の好きなこと、自らの興味・関心によると述べました。なぜなら、人は基本的に、自分の好きなこと、興味・関心に即して行動しているからとも言いました。

では、なぜ自分の興味・関心について考えることが、自分のテーマにつながるのでしょうか。

それは、人が生きていくうえでの「好き」を見つけることなのです。

この場合の「好き」というのは、自分が生きたいように生きたいという自由の感覚です。

この漠然とした自由の感覚こそ、人間が生きていく上でもっとも大切なものなのです。

ですから、わたしたちは、それぞれの「好き」のもとで、自分の興味・関心に即して生きようとするのです。この「好き」にもとづく興味・関心の芽をできるだけ摘まずに自らを育てることで、やがては自分の「好きな」道へと進む自分を創っていくことができるわけです。

日常生活の中での、さまざまな興味・関心は、さまざまな小さなヒントによって支えられていることがわかります。

実際は、毎日の仕事や生活の中での発見から、自分のテーマが見つかるということも少なくないのです。いや、むしろそのことの方がずっと自然な流れなのではないでしょうか。

たとえば、営業の仕事をしていて、さまざまな顧客と接するうちに、人間のコミュニケーションとは何だろうかという疑問を持つ人もいますし、外資系の会社で働いていて、自分の英語をほめてくれる人のタイプにはいくつかの類型があるというようなことに気づく人もいるかもしれません。また、海外旅行をする中で、自分を受け入れてくれるかどうかは、国や地域の違いではなく、個人の問題だと考えるようになり、ここから異文化間相互理解の問題に興味を持つようになる人もいます。

こんなふうに、日常生活や日々の仕事の中で、おや、と思うことや、なんか変だな、という疑問から、自分のテーマが発見できるものなのです。

反対に言えば、そう思わなければ、何も始まらないことが多いかもしれません。

つまり、現実生活に１００パーセント満足していれば、何も考える必要がないし、何も変革する必要を感じないでしょう。でも、現実生活に１００パーセント満足している人なんて本当にいるのでしょうか。

日常生活で、必ずしも不満とか疑問とかいうかたちではないにしても、何かを思い、感じる。そうしたことが、考えるきっかけにつながり、考えはじめることが、何かを表現するきっかけにつながります。だからこそ、表現するという行為は、限られた人だけが行う、特別な行為なのではなく、すべての人が自分の中の課題・問題を解決するために行うものだということができるでしょう。

しかも、それは、実際の仕事や生活の体験の中から出てくることがほとんどなのです。

あなた自身の仕事や生活の経験の中にすでに表現の芽が潜んでいると考えたらいいと思います。

興味・関心から問題関心へ

さまざまな仕事等を含む日常における興味・関心は、ほんとうに多種多様で、いい意味で雑多なものです。

いわば社会生活を営む人間ならばだれでも持っているものだと思います。この場合の社会生活というのは、決して実社会で働いているという意味ではありません。人間は生まれ落ちたときから、何らかのかたちで社会との関わりを持つわけですから、人は常に社会人だといえるわけです。そういう意味での社会生活です。

こうした、それぞれの興味・関心が、具体的なその人の生活や仕事の中で、一つにまとまることがあります。これが、問題関心です。

多様で拡散した興味・関心が、目の前の、いくつかの対象に向かって集中する過程で、問題関心は生まれます。もちろん、こうした問題関心は、人によって強く持つ人とそうではない人がいるはずです。

この問題関心によって、今まで漠然とした「好き」の興味・関心が、いくつかの問題に絞られ、具体的な形を持って立ち現れると言えばいいでしょうか。

いずれにしても、問題関心というのは、あなたが感じた「好き」が、いくつかの特定の問題に集約され、その関心の度合いがより強くなったものだということができます。

考えてみれば、この問題関心もだれでも持っているといえるでしょう。だから、それは、取り立てて考えたり、あるいは書き出したりするほどのことでもないとだれでも思っています。

しかし、毎日の生活や仕事の中で、だれでも確実に、何らかの問題関心を持って生きていることに気づくこと、これが自分のテーマを発見する第一歩かもしれません。

問題関心から問題意識へ

次に、それぞれの問題関心が、次の、問題への意識、すなわち問題意識につながっていきます。

一口でいえば、問題関心から問題意識への変容ということです。

ところが、問題意識となると、その問題関心から、やや意識的になるわけですから、あなたにとって他の人とは違う、自分の意識ということになります。

そうすると、なぜ自分はそのことに意識を向けるのか、そのことは自分にとってどんな意味があるのか、ということをおのずと考えるようになります。このとき、「なぜ」が生まれるということです。これが問題意識です。

おもしろいことに、問題意識は常に自分の仕事や生活の中で何らかの基準を作り出すことになります。つまり、問題意識を中心にして、いろいろなことを考えるようになるわけです。このことが、すなわち、あなたにとってのテーマなのです。だから、問題意識のある人は、テーマを持って生きている人であるということになります。

問題関心の段階では、まだテーマとはなるかならないかという状態なのかもしれません。したがって、ものを表現するという段階は、自分の中にある問題関心を問題意識へと高め、それを自分のテーマとして意識的に持つということなのです。そのテーマを具体的に実現するための第一歩が、表現という行為だということになります。

表現のロンド、循環の図

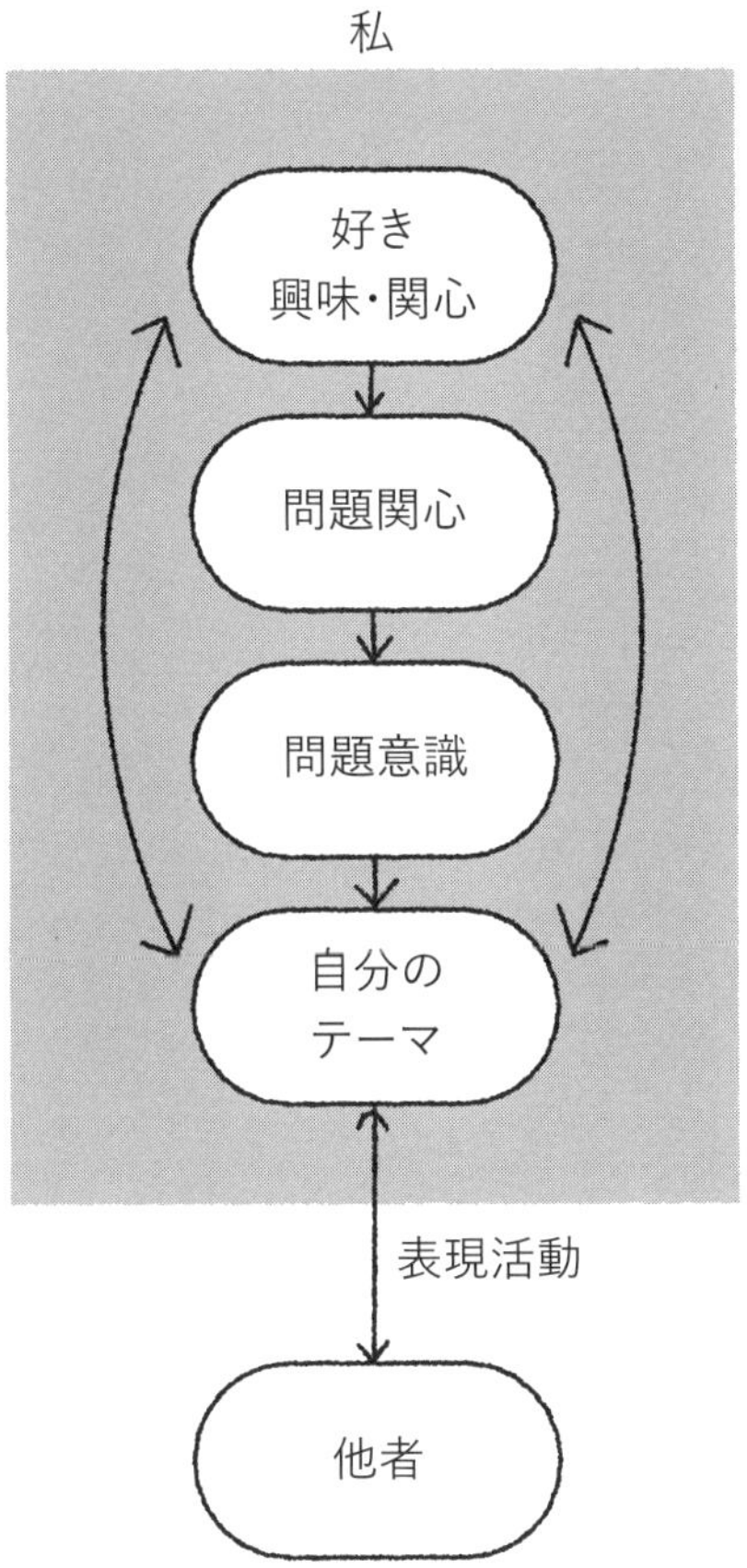

このように説明すると、あたかも〈興味・関心→問題関心→問題意識→自分のテーマ→表現活動〉のように、直線的に並ぶように考える人もいるかもしれませんが、実際は、前ページの図のロンド（繰り返し表される主題の意味）のように円を描きながら循環しているということができます。

問題意識を持つようになると、自分の興味・関心から始まって、では、どうしてその興味・関心を持ったのかと自分の意識を明確にする「なぜ」がはじまります。

そうすると、私はこんなことが言いたい、こんなことが言えるのではないか、といった漠然とした結論の予想のようなものが見えてくることがあります。

これがあなたの問題意識の自覚化です。

問題意識というと、少し堅苦しいですが、自分のテーマをつくるために、どうしても必要なものとなります。

考えてみると、わたしたちが何か行動を起こすときには、たぶんこうだろうと結論を見越して行動することがよくあります。もちろん、当てが外れることもしばしばですが、それでも当てが外れた段階でまた次の結論を想定して、さまざまな行動を起こします。この「当て」が、いわば問題意識であるともいえるでしょう。

言い換えれば、ある現象の合理的な理由を説明するための、自分の中の課題の意識化ということができます。

ところが、いざ問題意識を持て、といわれても、なかなかそう簡単にいくものではありません。

少し前に説明したように、興味・関心から問題関心、そして問題意識というような整理された手順で必ずしも起こるものではないからです。この本のはじめのほうでも述べましたが、それは白紙の原稿用紙に向かって「さあ、書きはじめろ」というのと同じことです。

経験からテーマへ

あなたが自分のテーマを見出すことは、自分の仕事や生活の中での一つの生きがいを見出すことにもなるでしょう。

しかし、問題は、それだけでは表現は完成しないということなのです。

高校時代までは表現することがとても好きだったのに、大学に入って、いろいろなレポートを書かされて、表現することがすっかり嫌いになった、あるいは大学のレポートへの不信感から、大学そのものが嫌いになったという例を、今までいやというほど見聞きしてきました。

ちょうど、絵を描くことが好きで、毎日絵を描いていた子どもが、学校の授業で先生に指示されるようになったとたん、絵を描かなくなってしまったという例のように。

それは自分のテーマを自己完結的に提示すれば、それはそれで「いい」感想文になった高校時代と、大学での専門性の立場からの資料の収集や経験の提示の間に、大きな違いのあることにだれも気づかなかったからでしょう。

高校までだと、それほど厳密な資料の収集や経験の提示は求められません。むしろそういうものは敬遠されたのです。だから、とにかく好きなように書けばよかった。ところが、大学では、専門的な資料の収集や経験の提示が求められます。しかも自分のことをレポートに表現すると、主観的だといって悪い点がつくような気がする。そして、客観的な資料や経験を集めているうちに、それらが自分のテーマとどのように結びつくかが見えなくなってしまう。

あなたは、このような繰り返しを経験してはいませんか。

もし経験しているとすれば、ここで重要なことは、自分自身のテーマと、自らの経験とを一体化させて、最終的な自分の主張へと結びつけられるかどうかを考えることです。

それさえできれば、的確な表現活動として実を結ぶはずなのです。

この関係というか連携について、表現するという観点から指摘したものは今まで一つとしてなかったといっていいでしょう。前の節で示したようにして、テーマを発見できたあなたは、自分のテーマに基づく経験を表現としてどのように示すかを、ここでは考えることになるわけです。

このような表現活動の組み立てによって、自分のテーマを語ることができます。

その基本は、自分の「好き」から始まる自らの興味・関心のありかを自身の過去・今・未来をつなげるストーリーをつくることで表現します。

まず、今の自分について他者と語り合います。

次に、今の自分につながる人生の選択の背景を語り合うことをとおし、そのストーリーを意味づけていきます。

このことによって、今の自分がめざしているものがしだいに明確になっていくからです。

自分の経験について他者とともに振り返って考えてみることで、自らのテーマのありかも次第にはっきり見えてくることになります。

経験のポートフォリオ化

なぜ表現するのかという問いは、それぞれの人によって異なり、一つの決まった答えを用意することはできません。

表現するための方法のみを問題にしてその成果をモデル化したものを目的として考えていくと、どう話せばいい、どう書けばいいという技術的な面だけに注目がいき、大切なものが見えなくなってしまいます。

表現の組み立てと経験の位置

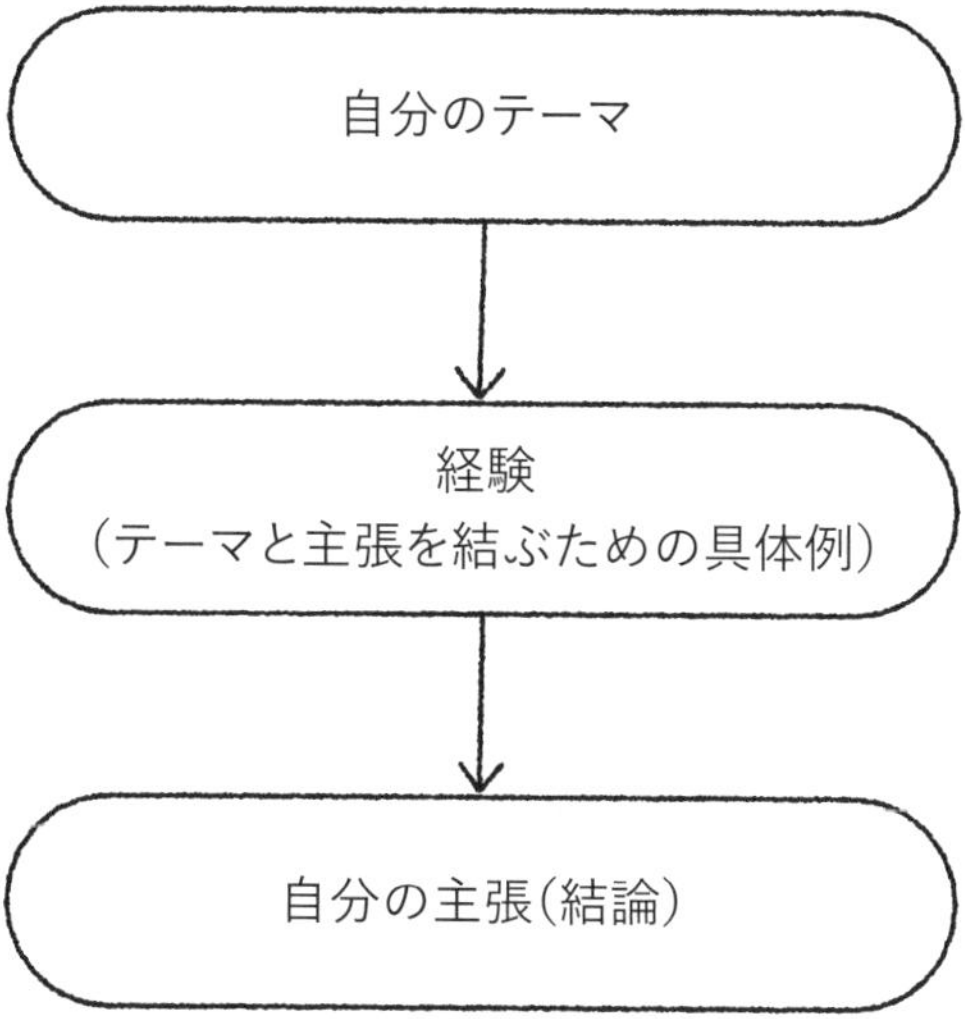

その大切なものとは、その人がどのような表現活動観を持っているかであるし、長い目で見て、その人が自分自身の活動をどのように組織していけるかというようなことです。

このような課題を乗り越えるためにも、あなた自身のためのあなた自身による経験のポートフォリオ化が、これからはとても有意義になってくるだろうとわたしは思います。

ポートフォリオというのは、もともとは、折り鞄といったものを指すことばで、いろいろな資料を一つの鞄の中に詰め込んでおく、といった程度の意味で使われてきました。これを学習／教育の活動に活用しようという動きが出てきて、最近では、ヨーロッパを中心に、言語教育などで頻繁に使われるようになってきています。

具体的には、自分の経験の記憶やエピソードを資料として記述し、それをファイルとして保管して残し、必要に応じて取り出しつつ自分を振り返るための材料にするということです。

ただ、ここでは、ポートフォリオをもう少し広い意味で使いたいとわたしは思うのです。とくに、ここで述べているような、さまざまな振り返りにこの方法はとても有効だからです。なぜなら、あなた自身を振り返るのは、実際にはあなたしかいないわけですが、それをできるだけ可視化する（見えるようにする）ために、自分の表現活動をポートフォリオ化していくというのは、とても意味のあることでしょう。

一人ひとりが自分の構想を持つこととポートフォリオは分かちがたいものです。なぜならそれは、ポートフォリオによって、さまざまな活動をあなたが自らの目でしっかり観察した結果生まれる、あなた自身の成果だからです。その成果を表現活動によって、相互に批判しあい、議論しあうことは、あなた自身が新しい生きる地平を切り拓く作業であるといえます。

このポートフォリオ作成の過程で必要なことは、この本でも述べている公開という概念です。具体的に言えば、たとえば表現したいことを、必ずだれかに見てもらう。いい考えが浮かんだら、だれかに聞いてもらう。そういう環境をどのようにしたらつくれるかということです。

そのような環境では、形式にとらわれることなく、自分の言いたいことをずばりといえるような相手を選んでいくのです。

完成した立派なものをめざすのではなく、みんなにいろいろな意見をもらって存分にたたいてもらうという発想でいくわけです。だから、表現はいつも下書きかメモでいいのです。しかも、そのときの下書きやメモは、だれか特定の人に出すのではなく、「みんなに出す」、つまり世に公開するという気持ちで行くことによって、あなたの表現世界は格段に開けるでしょう。

こうした考え方を持つことは、しばしば指摘される孤立化を排する、もっとも有効な手段でもあるともいえます。それぞれの個人の表現活動は、決して組織に強制されて行われるものではありません。一人ひとりが自分の意思で決定し、実行する活動です。そのあなたの表現活動をあなたのポートフォリオが支え、それによってあなた自身が成長する仕組みなのです。

経験との対話

ところで、この本で表現活動というとき、必ず「対話」ということを意識してきました。

①表現過程における自分との対話（自己把握）
②表現過程における相手との対話（他者提示）
③表現の機能としての他者との対話

①は、自分のオリジナリティを追求する場合に、②は相手に理解してもらうために、そして、表現のプロセスとして、この①と②をめざして活動することによって、最終的に③をも満たしていくという考えに立つことになります。

この中で、経験について検討していくことも、すなわち「対話」として考えることができます。

というのは、自分のテーマと経験の一致をめざしたものですから、経験の中に自分のテーマを見出すというプロセスそのものをいうものであり、その具体例をどのようにして、他者に示していくかということでもあります。その過程で具体的な、特定の聞き手が相手になる場合もあるかもしれません。

このように、対話とは必ずしも人間であるとは限らず、さまざまな対象との対話が可能だということです。もちろん、そのとき、その対象をはさんで向こう側に控える人間と向き合うこともあるでしょうし、その対象を読み取る自分と真正面から対峙せざるを得なくなることもあるわけです。

そして自分の経験を表現として用いるとき、それぞれの経験との、息の長い対話が必要です。

それは、自分の言いたいことがその経験の中にどのように込められているかを探る旅でもあります。この経験との対話が、表現の成否を決める大きな要因ともなります。

たとえば、どんなにすばらしい仮説を立てても、論証としての経験と食い違っていれば、その仮説は証明されたことになりませんし、読者も納得しないでしょう。したがって、経験として掲載するものは、仮説を論証するための絶大な味方でなければならないわけです。

経験との対話とは、実際の例証としての経験の中身を徹底的に探り、その中に自分のテーマと一致するものを見出すことでもあります。

自己表現はキャリア形成そのもの

たとえば、これからどう進路を選び、どのような仕事についていったらいいのかを考えようとする若い世代、あるいは現在の生活や仕事などで何となく不満や不安を抱えている人たち、そういう人生のさまざまな局面において危機感を持ち、これを乗り越えるために何かを求めようとしている人にとって、表現という活動は、たいへん重要な意味を持ちます。

一般にキャリア形成というと、あたかもエリート候補となるための経歴を積み重ねることといったイメージがあるかもしれません。あるいは、自分の経歴を外側からだれかに評価してもらうためのものと考える人もいるでしょう。

そうではなくて、もう少し大きく、あなた自身の希望進路選びや職業選択あるいは、これからの生きがいの課題として、キャリア形成というものを広く深くとらえてみたらどうでしょうか。

これからの自らの生を充実させていくための方向性の構築という意味でのキャリア形成

です。

では、そうした自らの生の充実のために、自己表現はどのような意味を持つのでしょうか。

実際、わたしたちは、日常の生活や仕事の中で、いろいろな形で自己表現を行っています。自己表現とは、いうまでもなく「自分を表現する」ことですが、ここでは、自己表現を、そうしたあなた自身の考え方や立場について少し意識的になって表現してみることと捉えてみましょう。

「なぜ私はこのように感じ、思い、考えるのか」をことばによって表明することで、ふだんの自分とは少し距離を置いて他者に向けて発信してみる、そのことに意味があると考えるからです。

でも、自己表現はなぜ「他者に向けて」表現されなければならないのでしょうか。自分一人で自己表現するだけではだめなのか、という質問です。

たとえば、インターネットのブログやツイッターなどのSNSでは、個人の考えがそれぞれ自由に発信されているように見えます。自己表現というなら、それで十分ではないかと思う人もいるでしょう。

しかし、自分の考えを一人で主張するだけでは、「私はこのように思っている」と勝手に宣言しているにすぎません。なぜなら、相手である他者も、いろいろな考えを持っているはずなのに、それでは、一方通行のすれ違いになってしまうからです。

表現の活動では、お互いの考えを交換し、それぞれの考えを互いに受け止め、このやりとりのプロセスを通して、それぞれに、さまざまな考えがあることを認識する感覚、これを実感することがとても重要なのです。

ここでは、「他者に向けて」としましたが、場合によっては、「他者とともに」という言い方がふさわしいかもしれません。

したがって、自分の生を充実させるためには、どうしても、自分の考えていることを他者とともに表現しあうことが必要になります。このような認識こそが、新しい自己表現の第一歩だと考えてください。

コラム2　「りんごが好き」は自分のテーマになるか

自分のテーマを決めるとき、テーマの選択そのものについても考えなければなりません。

たとえば、「りんごが好き」というテーマで何かを表現しようとしても、なかなかむずかしいでしょう。自分の中では「りんごが好き」という、何らかの思いや感覚があったとしても、それを他者に提示する必然性がない場合、「りんごが好き」は、自分のテーマにはなりにくいものです。

それは、なぜでしょうか。

「りんごが好き」というテーマには、あなたがテーマとして取り上げる意味およびそのメッセージ性が欠けているからだといえるでしょう。

無理やりに論を進めようと思っても、最終的には、「好きだから好きで何が悪い」ということになってしまいます。

そこで、なぜ「りんごが好き」というテーマを提出したのか、ということが問題となります。あなたは往々にして、この問題について深く考えずに自分のテーマを決めてしまっていませんか。

テーマとして提出するには、常に提出するべき相手が存在するということです。それは、そのテーマを他者に提示するどのような必然性、すなわち相手へのメッセージ性があるのかという問題でもあります。

そうした問題を抜きにして、自分の中のテーマを強引に引きずり出すとどうなるでしょうか。

なぜ相手に提出するのかという自分自身の構えのないまま、そのテーマと向き合わざるを得なくなることになります。そこでは、自分の内面と対峙することが要求されます。その結果、あたかも自分の個人的なプライバシーを他人から抉《えぐ》り出されるような、不当な感覚を覚えてしまうことになるのです。

本来、自分自身のテーマの選択責任の問題であるにもかかわらず、そのことに気づかないため、あたかも周囲からそのような状況に陥れられたという被害妄想的な気持ちになるのです。まさにそのこと自体が、自律的に表現するという行為から自らを遠ざけることなのです。

たとえば、この「りんごが好き」という動機から仮に表現活動が始まるとしても、その「りんご」への接近の仕方は、分野によってまた個人によってさまざまだといえます。

ある分野では、りんごそのものの植物としての性格や種類について表現対象とすることもあるでしょうし、その生育とその環境について興味を持つことも可能です。また別の分野では、りんごが好まれる理由をアンケート調査することによって、その社会でのりんごの社会史あるいは文化史のようなことを試みる人もいるでしょう。

また、なぜ人はりんごを好むのかというテーマで、りんごと人間の関係について論じることも可能ですし、なぜ自分がりんごが好きなのかというテーマで、自分史としてのりんごとのかかわりを描く人もいるかもしれません。

このように、一口に「りんごが好き」といっても、本当にさまざまなアプローチが可能なわけで、そのどれを選択するかは、分野によってというよりも、個人によって異なるというほうが的確かもしれません。ここであまり分野・領域を強調してしまうと、あたかも分野・領域が先にあり、その枠組みの中でしか表現ができないような錯覚に陥ります。

よく言われるように、出来合いの靴に自分の足を合わせるのではなく、自分の足に靴を合わせるべきだという考え方を大切にすることになります。

このように考えると、いかに表現対象がさまざまであったとしても、それをひとたび自分のテーマとする場合には、「なぜそのテーマなのか」という問いが必要になりますし、それはあくまでも自分に向けられたものであるべきなのです。

この「なぜ」を常に繰り返し続けることが、表現の原動力といえるわけです。他者から与えられたトピックやなんとなく選んだテーマでは、長続きがしません。「なぜ」と自分に問うことによって、その問いはますます深くなりますし、いい加減な答えでは自分自身満足できなくなります。これが表現活動への最初のアプローチとなります。

（『論文作成デザイン』より一部改変）

3 「なぜ」を問う意味

自分の「言いたいこと」を見つける「なぜ」

問題関心から問題意識に至るには、あなたの中に何らかの「きっかけ」があるはずです。その「きっかけ」は、ちょうど夜空の星のように、あなたの中に無数に点在しているといえるでしょう。

考えてみれば、表現という行為は、その点在する星をどのように集めていくかという作業といえるかもしれません。

ここでは、このきっかけをつかむ「なぜ」について考えてみましょう。

〈興味・関心→問題関心→問題意識→自分のテーマ→表現活動〉の循環の中で、自分の「言いたいこと」を明確にする問い、それが「なぜ」という問いです。これは、自分のテーマをつくるための問いでもあります。

たとえば、「グローバル化」の問題を考えるにしても、「なぜグローバル化なのか」という「なぜ」がなければ、その「言いたいこと」がわからないということになります。

では、なぜ○○なのか。問題は、このことが、あなたにとってどれだけ切実であるかです。それが「なぜ」に答えるだけの「言いたいこと」を決定する力になるのです。つまり、トピックに対する「なぜ」があってはじめて「言いたいこと」が生まれ、それによって表現の視点が定まるといっていいでしょう。

まず、トピックを「自分のもの」として捉え直し、そこから自分の「言いたいこと」を見出すこと。つまり、トピックを自分の問題として捉えること。ここにあなたが表現するときの出発点があります。

したがって、何かを表現するときも、まず「なぜ」を冒頭においてから始めればよいでしょう。「なぜ」に対して「～だから」という具体的な例をあげていき、そこから「～と考える」という自分なりの答えを導く、という方法がかなり有効です。

この場合の「答え」が、自分の「意見または主張」となります。

たとえば、「なぜグローバル化なのか」を考えるとき、「なぜ私はグローバル化というトピックを立てるのか」という問いを立ててみます。このトピックは与えられたものだから、としてしまうと、テーマは出てきません。

あえて、なぜ自分は、なぜそのトピックを選んだかというトピック設定理由を自分ごととして考えてみることなのです。

「日本はグローバル化すべきである」というのはいわば常識です。

では、なぜ日本はグローバル化しなければならないのか。私はなぜこのことをテーマとするのか。では、私にとってグローバル化とはいったい何だろう。……こういう問いが自分の中から次々と出てくるようならばしめたものです。この段階ではまだはっきりとした「～と考える」は出てこないでしょう。しかし、この段階で、いろいろな予想を立ててみることが、次のテーマ発見への手がかりになるはずです。

「なぜ」を掘り起こす

このように考えてくると、表現するという一連の活動の中で、最初で最大の難関は自分の「なぜ」を掘り起こす作業、つまり「自分のテーマ」とその理由の明確化だということになります。

この「なぜ」を自分に問い、その答えを自分なりに用意することができれば、表現活動の8割は出来上がったようなものです。

なぜなら、あなたは日々の生活の中でいつも何か特定のテーマを自覚しつつ活動しているわけではないからです。もちろん、無自覚的にはいつもテーマを探して生きているともいえるのですが。だから、「さあ、テーマを決めて」と言われると何をどのようにすればいいのかわからなくなるのは、いわば当然のことなのです。

そこでまず、あなた自身の「考えていること」をさまざまなかたちで外側に出してみるという活動が必要になります。それがブレーンストーミング（いろいろなアイデアを自由に出し合って解決策をさがす手法のこと）というものです。

これは、ある問題について考えようとするとき、その周辺をめぐっていろいろ働きかけてみるということです。関係のありそうな人とおしゃべりをしたり、それこそ情報を集めた雑誌をパラパラめくってみたり、というようなことです。こういうときに「なぜ」を自分に問うのは有効です。「なぜ私はこのトピックに興味を持ったのだろう」という自問自答によって目の前がばっと啓《ひら》けることもあります。

この段階では、問題意識はまだ確定していなくてもいいわけです。いわばぼんやりと情報のやりとりのただ中で自問自答のシャワーを浴びるという作業だからです。その中で、「何か変だな」とか「あっ、そうか」と思ったことがきっかけになります。

たとえば、「日本のグローバル化について」というのがトピックであった場合、この課題についての問題意識はどう生まれるのでしょうか。

「グローバル化」の議論をめぐって、その中で言語の問題にテーマを絞るとするならば、「日本のグローバル化のためには英語を学ばなければならない」というのも一つの問題意識になるでしょうし、また同時に、「日本のグローバル化のためには日本語をしっかり学ぶ必要がある」というのもあり得るでしょう。

要するに、ブレーンストーミングによって、自分の「考えていること」を一人でメモに書きつけて内省したり、あるいはだれかと雑談風に話し合ったりすることでテーマ設定のヒントが生まれるというものです。

このときに肝心なのは、そのテーマ設定が自分にとってどれだけ大切なものであるかを考えることです。

ここで「自分にとって」というのは、個人の利害のことを言っているのではありません。また、個人的な体験を述べればいいというわけでもないのです。そのテーマが「自分にしかできないもの」であることを要求しているかどうかを自分で検証することだからです。

このように、自分の中に「なぜ」という問いを持ち、対象としてのトピックをじっくり観察しながら、それを他者とのていねいな対話によって解きあかしていく姿勢、これが、表現活動のプロセスなのです。

主張のオリジナリティとは何か

自分の〈考えていること〉を表現する活動では、「〜と（私は）考える」という自分の意見・主張が、あなた自身のオリジナルであることが要求されます。

このことは、この本の中でも何度も言及することですが、最終的な結論としての意見・主張こそが、このオリジナリティにかかわるものだといえるでしょう。

つまり、自分の主張に、オリジナリティ（固有性）がなければ、相手の中には入っていかないということなのです。それは、まず「テーマ」自体が「自分でなければ表現できないもの」であることが大前提になります。この本の中でも例としてあげた「日本のグローバル化とコミュニケーション」が本当に自分でなければ表現できないものかどうかがオリジナリティの決め手になるわけです。しかし、ただオリジナリティを出そうといっても難しいでしょう。

では、どのようにすればオリジナリティが出るのでしょうか。

オリジナリティとは、どこからか持ってくるものでもなく、またはじめからあるものでもありません。はじめの「なぜ」からはじまって、「～だから」を経て、「～と考える」に至る、全行程の中から自然と滲み出てくるものだと考えるのがいいでしょう。「グローバル化」というテーマで「なぜ英語を学ぶのか」という問いを立てたとして、その答えを「自分のことばを振り返るため」に求めるとしたとします。その表現の過程で「自分でなければできない」「自分だからこそできる」という自覚があったときにはじめて、その表現は他者に対して説得力を持つのです。つまり、「テーマ」について論じるプロセスそのものが、オリジナリティ発見の筋道だと考えることができます。

このオリジナリティ発見のために必要なのは、明確に「なぜ」を発してそれに答えを出そうと努める習慣です。ここで大切なことは、はじめの「なぜ」と終わりの「～と考える」がちょうど一つの円をつくるように、ぴったり一致させることです（次ページの図参照）。「なぜ」が「～だから」を経て、「～と考える」へ至るプロセスが円環をなし、自分の中で納得がいったとき、それは同時に、他者説得の力にもなり得るからです。

この円を描く作業の中で、固有のテーマについて繰り返し考え、そのことをていねいに

オリジナリティ発見のための
円環のプロセス

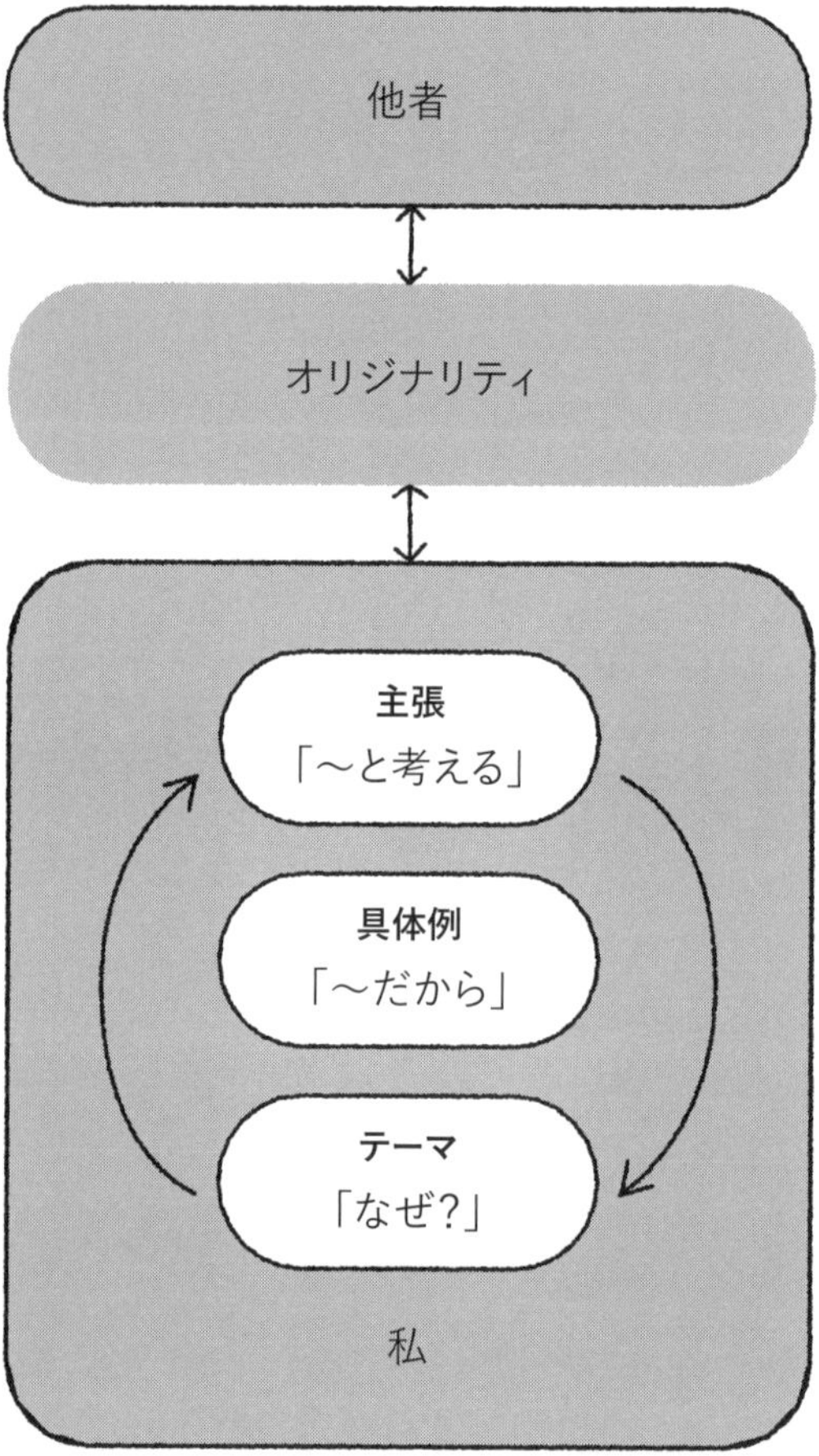

ことばで表現しようとする、そういう思考と表現の積み重ねこそ、あなたの表現にオリジナリティを与えるものだと言うことができるでしょう。

自分の考えをつかみ相手に伝える

表現という活動を言い換えると、一つは自分の考えを把握することであり、もう一つは他者に対して表現するということになります。つまり、表現という行為が、一つは「(自分の）言いたいこと」をつかむためであり、もう一つはその「言いたいこと」を他者に伝えるためであるということがわかります。

そしてそれは、ほかならぬあなたが思考し、表現するということなのです。表現活動という一連の作業は、モヤモヤした自分の心の中に自ら降りていくこと、そしてつかみとった「テーマ」について、ことばを模索しながら、「言いたいこと」を一つの「主張」としてあらためて見出し、共有することばの論理によって筋道を立てて他者に伝えようとすることです。

このように考えると、何かを表現しようとする人がめざすのは、相手に自分の「言いたいこと」とその理由を真正面からきちんと受けとめてもらうことだと言い換えることもできるでしょう。

そうすると、あなたが「なぜ」を発することとは、「自分の立場をはっきりさせること」であり、それは同時に、自分の「言いたいこと」を相手に対して明確に示そうとする積極的かつ能動的な行為だということになります。そして、それは、ことばを通して他者と交流しようとするあなた自身の対話のキャッチボールのための、努力のプロセスなのです。

このように、表現活動は、自問自答のプロセスであると同時に、他者を巻き込んで互いに応答しあう対話でもあるわけです。

だからこそ、あなたの「言いたいこと」は、自分にわかるだけでは完全ではないのです。他者に伝えられてはじめてかたちとなるものです。言い換えれば、他者に伝えられなければ、それはまだかたちをなしていないものだということになります。

この他者への伝達のためには、「言いたいこと」およびその理由が相手と共有する一定の順序にしたがって説明されることが必要でしょう。これが論理というものです。論理的に明快な文章が多数の納得を得られるのは、このためでしょう。論理性が必要になるのは、表現することが自分と他者の両方をめざしているという理由によるものなのです。

論理をともにすることの意味

テーマ・具体例・主張をめぐる、この論理性に関連して重要なことは、自分の提出するものが論理的な一貫性に支えられていなければならないということです。

これは他者をどのようにして説得するかという点できわめて重要な問題なのです。他者を説得するという表現がもし攻撃的に聞こえるならば、他者に納得してもらう論理といってもいいでしょう。あるいは、もう少し一般的に言えば、他者と共有する論理というものでしょう。この「論理的」であるということは、第三者を説得し納得させ、かつ他者と関係を形成し共有していくための唯一の根拠であるといってもいいと思います。

しかしこの「論理」は、だれかが書いた論理学の本を読んだところで身につくものでもありません。

自分の体験と感覚・感情にもとづきながら、自分自身に「なぜ？」という問いを発し、相手に対して自分の「考えていること」をていねいに伝えようとすることによってはじめて、ともに共有するための論理が成立します。それは、はじめの「なぜ？」という問いに対して、自分自身がどのように答えるかという課題でもあるでしょう。

「〜と（私は）考える」という自分のスタンスこそ、あなた自身の問いに答えるものでしょうし、ここにこそ、「考えていること」をことばにする際の、表現のための論理があるといえます。

こうした論理のルールは、ただ「考えていること」をことばにするためだけにあるのではなく、日常生活から学業や仕事、職場での議論などでも縦横無尽に活用することができるはずです。

もちろん、この本の読者がすべてものを書く仕事についているとは限らないし、そうである必要もないわけですが、ひとたびあなたが自分の仕事・生活と表現活動を結びつけようと思ったとき、この論理のルールはあなたの今後の知的な活動に役立つような指針として機能するものであることは確かでしょう。

コラム３　バイオグラフィとは何か──語るための中身

個人の過去・現在・未来を語るバイオグラフィ（個人誌）が注目されています。

バイオグラフィとは、一般には、伝記とか自伝と訳されるもので、「自分史」と言われることも多いものです。いわゆる「自分史」は、歴史学者・色川大吉の民衆史に根ざした歴史観の一端として提案されたものですが、その後、主にすでにキャリア形成を経た年代を対象とした生涯学習活動として方法化され、現在、カルチャーセンターやビジネス関係等を中心に全国で展開されています。

ただ確固たる理念や方法論がなく、自分の年表を作成したり個人史を記述したりするだけでは生涯学習としての意味を持ち得ないことがさまざまなところで指摘されています。一般に出版されているものも、エンディング・ノートのような位置づけが多く、定年退職者等のシニア層を対象としたものがほとんどだといえます。

ここで、あえてカタカナで表記する「バイオグラフィ」という活動は、そこに個々のテーマがあり、そのテーマを通して、「私を語る」ことの意味を追求しつつ、他者を受け止め、その構築も含めた他者との関係性を通しながら個人的な営みを社会的な営みとして捉えていくものです。自分の個人的な人生を振り返り、それを総括する、従来の「自分史」とは、大きく異なるものです。

また、自分の過去・現在・未来を結ぶテーマにこそ、個人の「成長」の核があると考えると、そのテーマをめぐる、他者との協働の「過程」自体を記述していくことは、自己・他者・社会のかかわりを可視化し、社会の中での市民性形成の考え方にもつながっていきます。ですから、バイオグラフィは、いわば「自分とテーマの関係誌」という側面を持っているといえます。

自分の将来に不安を抱く若い人たちが、自信をもって生きていこうとするとき、必要なことは、自分の過去・現在・未来を結ぶテーマの発見ではないでしょうか。

自分は10年後、20年後人生をどのように俯瞰できるだろうか、この迷いの中で、さまざまな出会いと対話を記述し、経験を可視化していく作業は、自分自身の興味・関心に基づいた、生きるテーマの発見に必ずやつながるにちがいありません。

そして、自分にとっての過去・現在・未来を結ぶ一つの軸を見出すことが、希望進路や職業選択につなげていくプロセスであるばかりでなく、現在の生活や仕事などで抱えている不満や不安、人生のさまざまな局面における危機を乗り越えるためにとても有効でしょう。この点で、バイオグラフィの活動には大きな意味があるとわたしは確信しています。

ごく最近ですが、インターネット上に配信された、知り合いのバイオグラフィを見て、この領域も新しい段階に踏み入れたなという印象を持ちました。

児玉明子『地球の涙：地球を背負った9年間の人生漂流ストーリー Kindle版』

こうしたバイオグラフィは、多く自分の過去・現在・未来を語るオート・バイオグラフィ（自分誌）ですが、昔から言われている「聞き書き」という、一種のインタビューもまた、バイオグラフィの一つと考えることができます。

これも最近、日本語教育の分野で出版された『産学連携でつくる多文化共生―カシオとムサビがデザインする日本語教育』（三代純平ほか編、くろしお出版）では、このプロジェクトに参加した学生一人ひとりが、さまざまな聞き書きを行い、その感動を自分のことばで生き生きと語っているところが印象的です。ことばのためにことばを学ぶのではなく、社会で社会とともに活動することがことばを生み出すという理念と実践が十分に活かされています。

さらに、こうした、さまざまな個人の「語り」自体に注目して、自己と他者のナラティブ（語り、叙述）を交差させていくという新しい立場も生まれています。『ナラティブでひらく言語教育——理論と実践』（新曜社、北出慶子・嶋津百代・三代純平編）

今、ことばの教育にとって重要なのは、ことばをどのように習得するかではなく、そのことばで〈何を〉語るか、ということ。その何かとは、学び手自身の自分のテーマ（好き・興味・関心）の語りそのものであることはまちがいのないところです。

このように、バイオグラフィの豊かな世界が、今、自分のテーマを語るというキーワードを得て、見事に花ひらこうとしています。

（細川英雄・太田裕子編『キャリアデザインのための自己表現』より一部改変）

第2章

自分のテーマを表現する

言語は、そのすべてが教えられたものであるなら、まったく非人間的なものとなるだろう。
イヴァン・イリイチ（1926―2002）『シャドウ・ワーク』

自分のテーマのもととしてのオリジナリティについて検討し、自分の「好き」、つまり自らの興味・関心とその自由について言及しました。

自分のテーマを語るということが、あなたが自分にしか語れないことを自身のことばで発信することにつながるわけですが、その場合の、あなた自身の考えていることを相手に伝えるための表現という活動の中心の核が、あなた自身のオリジナリティ（固有性）であることを確認しました。

ここでは、この興味・関心による自らのオリジナリティを、表現というレールに載せるために、〈問題関心→問題意識→自分のテーマ〉という手順を踏んでいくこととしましょう。

1　「考えていること」をどう「ことば」化するか

「考えること」と「表現すること」の関係

問題意識を持つということは、実際は、表現の活動の中でもっとも難しいことなのかもしれません。

では、仕事や生活におけるさまざまな問題関心を一つの問題意識へと高めるためには、どうしたらいいのでしょうか。

そのためには、当たり前といえば当たり前のことですが、「考えること」と「表現すること」しかないのです。ここでは、この「考える」ためのことばを「内言」と言い、「表現された」ことばを「外言」と呼んでいます。

この「内言」は、旧ソビエトの心理学者ヴィゴツキー（Vygotsky, Lev Semenovich :

1896–1934）が提唱した考え方で、個人の心のなかでの考えやつぶやきを指します。ここでは、思考とか推論という心のなかで考えていることをも、大きく内言と捉えています。重要なことは、わたしたちはまず他者とのやりとりの間で記号としての言語を学び、その結果、個人内での言語使用、つまり内言が可能になることを確認しておきましょう。このことは、内言自体が何らかの経験や社会的状況に規定されていて、純粋無垢なニュートラルな内言は存在しないということを意味しています。

そこで、この場合の「考える」というのは、さまざまな情報や体験をもとにしながら、「だから、それはなぜなんだろう」、「どうしてなんだろう」と自分で考えていくことを指します。別の言い方をすれば、「思考する」ということです。そして、この「思考」は外側からは見えないものですから、その思考の中身を相手と共有するためには、一度自分から外に出して、その思考のプロセスを他者と交換することによってしか相手に示すことができません。ですから、自分の「思考」（考えたこと）を他者に向けて「表現する」わけです。この「思考」と「表現」による行ったり来たり、すなわち往還が、問題意識を持ち、テーマを発見していくための、唯一の方法だ、ということです。

言い換えれば、このような当たり前の地道な作業でしか、「思考」と「表現」は活性化しないということなのです。

しばしば○○メソッドとか、○○法というような魔法の杖が紹介されることがありますが、それらが万能でないことはもはや言うまでもないでしょう。

思考の表現とは、具体的には、考えていることを自分で把握し、それを相手に伝達し、それから相手からの反応をもらいます。それを繰り返す、つまり対象を認識・判断し、他者へ表現化して、他者からの反応を確認します。この3種が総合されて、あなたは自分の考えていることが相手に伝わったと感じるはずです（次ページの図参照）。

これは理解のプロセス、表現のプロセスでもあります。この理解と表現のプロセスは、無限に鎖のようになってつながっていくわけですが、この連鎖によってしか人間は考えることができないといえるでしょう。

だから、自分のテーマを発見し、それをことばとして相手に伝えていくという行為は、この思考と表現の連鎖を、どのようにつくっていくか、ということでもあるのです。

あなたの「考えていること」は、どのように「ことば」化されるのか

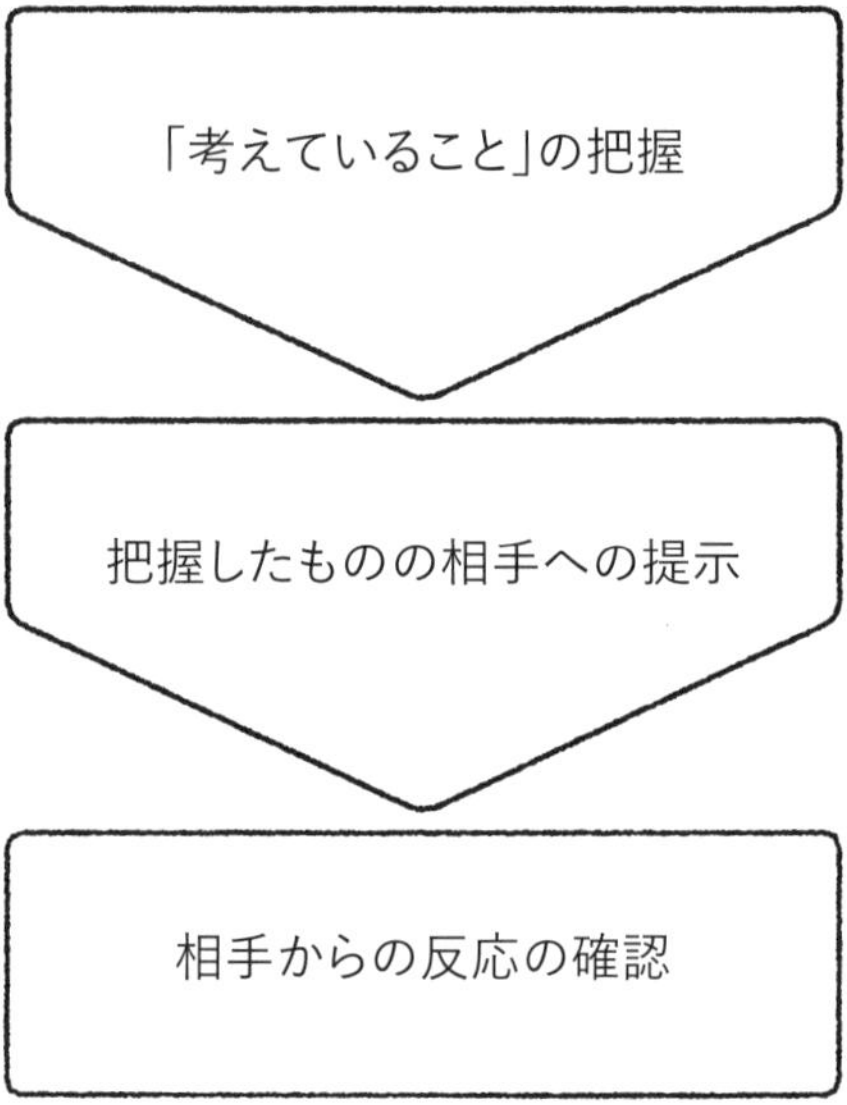

あなた自身の思考と表現の連鎖を、どうやって表現活動として設計していくか、そしてそれをどのように相手に見えるかたちでつくっていくか、というようなことが表現活動の一つの大きな目的になるでしょう。

「感じる」「思う」から「考える」へ

ここで、わたしたちは、人間の思考と表現の関係を考えないわけにはいかなくなります。

次ページの図の示すことは、以下のようなことです。

あなたは、何かを判断するとき、まず自分の周りの現象が目に入ってきます。これがテーマの始まりだともいえます。それについて何らかの認識をしますが、そのときに重要な役割を果たすのが、感覚・感情（情緒）です。

この作用によって、ストップがかかったり、あるいはエンジンがかかったりというように、無意識の判断が下されるわけです。

感覚・感情から表現への関係

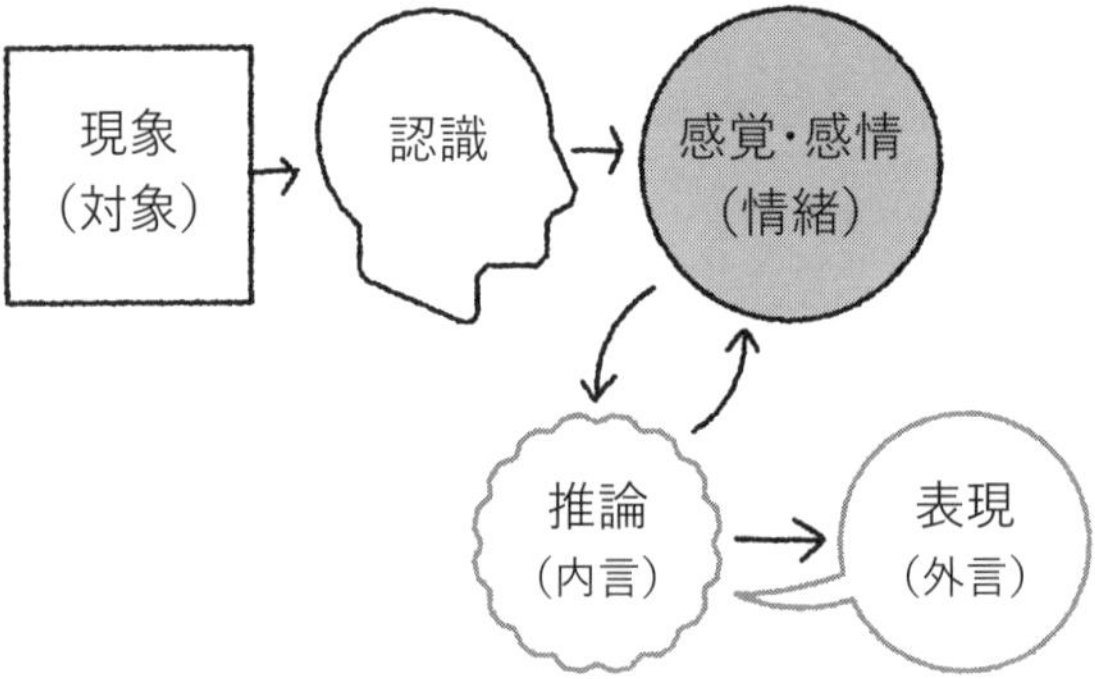

エンジンがかかったとき、それは、推論（内言）にすすみ、それがさらに表現（外言）として姿を現します。姿を現すという意味は、外側から見てわかるということです。そして、この段階に至って、あなたは自分自身の考えていることを自覚するに至るのです。

この外側に現れた表現（外言）に、他者が反応し、いわゆるインターアクションと呼ばれる相互関係作用が起こります（インターアクションについてはこのあとすぐに94ページで述べます）。このプロセスの総体が、言語活動と称されるものです。

このように考えると、どんなテーマであろうと、要するに、「私」というものをまったく消してテーマは立てられない、ということになります。ただし、「私」の出し方は、分野・領域によって、さまざまに異なるので、そのための注意を払うことは必要でしょう。

このように、人がものを考え、それを表現していくという行為は、感覚・感情（情緒）に支えられた推論（内言＝思考）と、それを身体活動を伴う表現（外言）へと展開していくことだということができます。表現するという活動は、まさしく、この思考と表現の繰り返しの上に成り立つ作業であり、この思考と表現の往還の活性化こそが、言語活動そのものの活性化につながる働きをしているわけなのです。

もちろん、ここで考えなければならないことは、思考の内側は他人にはアンタッチャブル（不可侵）であり、この思考の内容自体に簡単に価値判断を下してはならないということです。あくまでも、その思考の結果として現れた表現（外言）をもとに、どのように対等な議論ができるのかというところに、対話の意味があります。

今まで、こうした考え方が理解を得られにくかったのは、思考の表現化のプロセスではなく、アンタッチャブルであるはずの思考の中身ばかりが問題にされてきたからなのでした。だからこそ、そうした問題を恐れるあまり、標準モデルをつくりそのかたちだけに固執するうちに、いつのまにか形式を目的とする考え方が一般化してしまったということができるでしょう。

あなたが自らのテーマに基づいて自分のことばで表現するためには、この課題を乗り越えていく必要があるわけです。

インターアクションという相互行為の意味

さて、ここまでお話ししてきて、自分のことばで語るためには、必ず相手がいるということに注目してみましょう。

わたしたちの日常生活のなかで、話したり書いたりする活動に目を向けてみると、ここに共通するのは、必ず内容を伝えるべき相手がいるということです。

相手のいない電話やメールは、いわば独り言のようなもので、通常はあり得ないものです。

このような特定の相手を想定した活動は、インターアクション（相互関係行為）と呼ばれるものです。

インターアクション（interaction）とは、日本語では、相互作用、相互行為とも訳されますが、個人が相互に影響を与え合う関係、あるいは、さまざまな人との相互的なやりとり、つまり対話のことです。

ここでの文脈に置き換えてみると、自分の内側にある〈考えていること〉を相手に向けて自らの表現として発信し、その表現を相手と共有するということなのだと言い換えることもできるでしょう。

自分の意見を相手にも通すという活動は、課題を自分の問題として捉えることで徹底的に自己に即しつつ、これをもう一度客観的につきはなし、説得力のある共通了解を導き出す活動です。

このためには、さまざまな人との対話が不可欠であるといえます。この対話によって、今まで見えなかった自らの中にあるものが次第に姿を現し、それが相手に伝わるものとして、自らに把握されるとき、オリジナリティの共有化、つまり相手にわかるものになったと認識することができるからです。

相手に伝わるということは、それぞれのオリジナリティがさまざまな人との間で認め合える、ということであり、自分の意見が通るということとは、その共有化されたオリジナリティがまた相手に影響を及ぼしつつ、次の新しいオリジナリティとしてあなた自身の中で捉えなおされるということなのです。

意見・主張のオリジナリティと相手へのわかりやすさというのは、このように自分と相手の関係の問題であるといえます。これこそが表現するという行為の意味だということができるでしょう。

コラム4　「内容」か「形式」か

従来の言語表現法には、大きく分けて二つの方法がありました。

一つは、「考えていること」とはすなわち「こころ」だから、その「こころ」を鍛錬しようとするものでした。これは伝統的な文学教育が用いてきた方法で、名文を鑑賞することによって名文のエッセンスが得られるという考え方です。たしかにすばらしい文章を読むことによって心が洗われるような感覚を覚える人は多いと思いますが、それはあくまでも読者の「こころ」の問題なのであって、文章の作者の「考えていること」とは別のものだということになります。

そうすると、名文を読んでその「こころ」を学ぼうとしても、結局は、鑑賞以外の何ものでもなく、読者は所詮、読者であり、自分自身の「考えていること」を表現できるようにはなれません。

もう一つは、「こころ」から出た「かたち」を問題にする方法です。

どういうものかというと、前者の方法があまりにも主観的であったから、今度は客観的な活動技術として目に見えるかたちで明確に示そうという考え方です。たとえば、事実と意見を区別しようとか、結論をはじめに書こうとか、あるいは一つのパラグラフには一つのことだけを表現するようにするといったような、文章作成上の基本的な問題をポイントとして、これをクリアすると、いい文章が書けるようになるという考え方です。とくに理科系の論文指導などでこの方法が主張されるようになったことから、近年の国語教育にも波及してきました。「こころ」は外から見えないのに対し、「かたち」は表面的にはとても扱いやすいので、若い世代の国語の先生たちがこの考え方を全面的に受け入れてきた傾向があります。

しかし、「考えていること」が「こころ」であるとすれば、「ことば」とはすなわち「かたち」なのですから、それは、中身と外形の問題でもあり、個人にとっての内と外の問題でもあるはずです。この両者が、相互に影響し合い、複雑に絡み合っているからこそ、文章は完成されるのではないでしょうか。

ここで、「こころ」か「かたち」かという黒白選択の議論をしても、最終的にはどちらかだけというわけにはいかないでしょう。

「こころ」は、感覚・感情による情緒の部分と、筋道をたどる思考による論理の部分との統合されたかたちで、あなたの中に内在しているのですから、これを外側から見ることができないのは当然のことでしょう。この内側の「こころ」の一部が、「かたち」としての「ことば」となって他者に伝えられるのですから、他者には自分の「考えていること」のすべてが伝わるわけではありません。「こころ」のほんの一部が間接的に伝えられるに過ぎないのです。

このように考えると、「こころ」だけを追求したところで何もわからないし、「かたち」だけをターゲットにしたところで本質は明らかにならないことになります。両者が相互的な関係にあり、相補的な状況の中でしか問題は解決できないということになるわけです。

ここでの問題とは、いうまでもなく、自分の「考えていること」を「ことば」にし、自分以外の他者にどのように伝えるか、という問題なのです。

こんなふうに表現すると、いかにも抽象的で哲学的なことを述べているように感じられるかもしれませんが、この「こころ」と「かたち」を、それぞれ「内容」と「形式」に置き換えてみれば、ずっとわかりやすくなるでしょう。

たとえば、実務における企画書の作成にしても、どんなに「内容」が豊かであると思っても、「形式」が整わなければ、会議には通らないし、反対に、どれほど「形式」が見事でも、「内容」がなければ、だれも興味を示さないでしょう。これほど「内容」と「形式」とは一体のものなのです。

この本では、表現するという活動の中で、こうした「内容」と「形式」の統合を第一に考え、そこから、自分の「考えていること」をいかに「ことば」にし、自分以外の他者にどのように伝えるか、という問題を解決するためのプロセスとその方略を考えてみようとするわけです。

（『論文作成デザイン』より）

2　〈私〉をくぐらせる——「自分の問題として捉える」ということ

トピックとテーマの関係

一般には、話す場合、書く場合、どちらも同じですが、たとえば、大学や専門学校の発表やレポートでは、テーマはあらかじめ与えられるものでしょう。企業でも多くはそうかもしれません。

だから、自分で自分のテーマを決めるということは少ないのではないかという質問が出そうですね。

ちょっと待ってください。

ここでいうテーマとは、実際はトピック（話題）のことなのです。

そういう意味では、たしかに自分でトピックまで決めて何かを表現するという例はむしろあまりないという方がいいかもしれません。トピックが決まらなければ、話は始まらないからです。

ここでは、トピックとテーマを区別して使うこととします。

トピックとは、出来事や事柄の話題のことであり、テーマとは、その課題を検討するための主題です。この二つは、深いところでつながっていますが、表面的には、別のこととして働きます。

たとえば、大学や専門学校、企業等で、あらかじめ与えられるものは、トピックだということになります。

ある決められたトピックについて発表したりレポートを書いたりするわけです。この案件について企画を立てようということであれば、その案件がすなわちトピックだということになります。

これらの、さまざまなトピックを自分に引きつけるための、自分の中の意識、これをテーマと呼ぶことにしたいと思います。

一言でいうとすれば、トピックはどんなものであろうと、テーマは自分で決めるものであるということが肝心だということなのです。

決められたトピックについて、自分のことばで語ることができるかは、そのトピックを自分の問題としてどれだけ引きつけて考えているかによります。

自己表現という立場から考えると、与えられたトピックに対して自分のテーマを持たずに、与えられたように表現するということばかりをやっていると、本当の意味での想像／創造力を失います。

さまざまなトピックを自分に引きつけるための、自分の中の意識、これがテーマです。このテーマをどのようにして自分のものとするか、ここに表現活動の醍醐味があるのです。

トピックについて自分のことばで語る

トピックとテーマの違い、いかがでしょうか。

先ほども述べたように、たとえ他からトピックが与えられたとしても、そのトピックをあらためて「自分のテーマ」として自分のものにする、ということです。

たとえば「グローバル化」について発表することになった場合、一口に「グローバル化」といっても、その間口はたいへん広いし、その辺の資料を切り貼りして発表するだけでいいならば、それほど悩むことはないでしょう。インターネットで検索すれば、それこそ数千・数万という記事が引き出せます。

問題は、「グローバル化」という切り口で、あなたに何が言えるか、なのです。

ということは、たとえ与えられたトピックだとしても、その表現の決め手は、「自分でなければ表現できないもの」でなければ意味がないことになります。

だれにでも言えるような、新鮮味のないものは、あなたが表現する必要はないはずです。

そのためには、たとえトピックそのものは一般的なものであっても、話し手・書き手にとってどれだけ切実であるか、というところが重要で、ここに相手をとらえるものがあることになります。

ですから、何らかのトピックについて発表する場合、「何が言いたいのか」ということが常に問題となるわけです。

そのトピックをめぐって、「何を言いたいのか」がはっきりと相手に見えなければなりません。

たとえば、さきほどの「グローバル化」というトピックでは、「日本のグローバル化と外国語教育」「グローバル化と日本語」「日本のグローバル化とグローバル・スタンダード」など思いつくものがあがってくるでしょう。

この中で何を選ぶかは、あなたの中にあるテーマと連動するはずです。

つまり、そのトピックについての明確な「言いたいこと」を、あなたのテーマに即してつくりださなくてはならないのです。

この自分のテーマに即して、トピックについて表現できてはじめて、「自分のことば」で語ることになるからです。

ところが、あなたは、その「言いたいこと」がなかなか見出せないでいる。このことが表現するときに立ちはだかる、最初で最大の問題なのです。

これは、あなたの中に、自分のテーマ自体が明確になっていないからなのです。

では、この課題は、どのようにしたら乗り越えることができるのでしょうか。

自分ごととして表現するには

ここで重要なのは、その対象（話題や事柄）をまず「自分の問題として捉えているか」ということです。

「自分の問題として捉える」とは、別の言い方をすれば、「自分ごと」ともいうことができます。やや硬い言い方をすれば、「当事者意識」ということでもあります。

その話題や事柄について、当事者意識を持ち、自分ごととして、自らの問題として捉えているかということなのです。

当事者意識とは、その話題や事柄について自分が当事者であるという認識の仕方です。

もちろん、世の中すべての出来事に当事者意識を持つということは難しいでしょうし、すべてのことに関して、当事者であるということ自体不可能でしょう。

しかし、自分が、あることに関わるとき、自分の問題として課題を引き寄せ、自分ごととして考えるということはたいへん意味のあることです。

この意識を持たないと、話題や物事に関して、第三者的な立場から冷ややかに傍観する、ということになりかねません。これは、「評論家」的態度とでもいうべき、もっとも忌避される姿勢を形成してしまいます。傍観者のことばでは、相手の心を打つことができません。

自分のことばとは、まず、このような自分ごととして話題や事柄を捉えようとするところから始まります。

余談になりますが、わたしの母方の祖母は、名作『月山』で知られた作家の森敦と縁戚関係にあり、一高生だった森さんを2階に住まわせていたこともあったそうです。その後、長い間、音信不通だった森さんが晩年、芥川賞をとったとき、電報を打ちたいという相談を受け、祖母の心を表現することばを考えました。――「ワガコトノヨウニウレシクオモイマス」

数年後、わたしが森さんに出会ったとき、森さんはその電文を覚えていて、「何よりうれしかったのは、アヤさんからの電報だった」と述懐していました。おそらく「我がことのように」ということばが、森さんの心を打ったのでしょう。

その話題や事柄を自分ごととして捉えるようになると、その感覚・感情がことばになって表れます。なぜなら、自分の中のことば（内言）によって、話題や事柄が捉えられるとき、「自分だったらどうするか」という切実な問いが、自分の中に生まれるからです。

内言というのは、前にも述べたように心理学者ヴィゴツキーが提案した用語で、自分の中に内在する感覚・感情・論理が一体化した内的言語と定義できます。これが他者に向かって発せられるとき、いわゆる言語の形をとって外側に現れるため、これを「外言」と名付けました（87ページ参照）。

内言、その自分の中のことばが、相手に向かって外言として発しようとするとき、「相手に自分の気持ちを伝えるのはどのようにしたらいいか」という問いが生まれます。

この自己に向かう問いと、相手に向かう問いが一致したとき、自分のことばが生まれるのです。

自ら、自分のことばで発信しているという自覚は、相手への説得力が違います。

また、相手から見た場合も、あなたが自分のことばで語りかけてきたという実感を覚えることになります。

この双方の感覚こそ、自分のことばを成り立たせるものなのです。

このようなことばの力というものが、出来上がったものを他から受け取ることでは身につかないものであることは、ここからもおわかりでしょう。

プレゼンや文章に関する、いろいろなマニュアルをひも解いたり、さまざまな解説本を手にとったりしてみても、どれも自分にピッタリ来るものはありません。どうしたらいいかについては、なかなか具体的な実感がともなわないからです。

このような観点から考えてみると、「まえがき」に書いたように、従来のプレゼン法や書き方マニュアルに関する考え方とは、まったく異なる方法が可能になることがわかります。

それは、表現の技術だけを目的として学ぶのではなく、自分とテーマの関係は何かを考え、その上で、自分の表現する内容と表現の構造を相対化する眼を養うことが大切なのです。

そのためには、自分の中にあることば（内言）をどのようにして自覚するかということと、そのことばをどのようにして他者にわかることば（外言）にするかの二つが重要です。そうすることで、おのずと自分の表したいことが見えてくるはずだからです。

〈私〉をくぐらせる――「自分の問題として捉える」ということ

ところが、第1章でもお話ししたように、「自分の問題として捉えること」というのはとてもわかりにくいようです。

たとえば、個人的なことを述べたからといって自分の問題になっているとはかぎりません。自分の問題というのは、必ずしも個人的なこととは関係がないからです。たとえ世界の経済問題だって、自分の問題として捉えられていれば、それでいいのです。

しかし、「世界の経済問題」がなぜ「自分の問題」なのかをあなたは考えなければならないことになります。

そこで、「〈私〉をくぐらせる」という表現をわたしは使っています。

この表現は、在日朝鮮韓国人問題に取り組んだ教育学者・小沢有作（1932―2001）が南米の教育学者パウロ・フレイレの影響を受けて使用したものです。

小沢有作さんの晩年の教育実践に「親子三代の教育史」というものがあります。

おじいさん、おばあさん、父親、母親、そして自分がどのような教育を受けたかについてまとめるというもので、それこそ「〈私〉をくぐらせること」によって、教育のあり方を歴史的・社会的に考えてみようという大学生向けの教育学入門と言ってもいいかもしれません。

しかし、「〈私〉をくぐらせる」ことが怖いと感じる人も少なくないようです。また、自分の個人的なことを話さなければならないというのはいやだという人も多いでしょう。

「〈私〉をくぐらせる」というのは、その話題に関して自分の問題意識をもって話すということです。だから、その意味では、個人的なことかどうかなんて関係ないのです。もちろん、話されることが結果として個人的なことになる場合もあるわけですが、それは他人に対して話すという覚悟の上で「自分の考えを出す」わけですから、ただ自分の秘密をヒソヒソ話で話すのとはわけが違うことになります。

自分の個人的なことを話したくないという人から、無理やり話を聞きだす必要はまったくないと思いますが、そもそも、「自分のことを話すとは何か」という問いを持たないこと自体が、その人の言語生活そのものを閉ざしていることに気づく必要があるでしょう。この世界にたった一人の自分の存在の意味はどこかで問われることなのですから。

コラム5　情報あっての「私」、「私」あっての情報

自分のテーマに即した具体的な活動に入るために、あなたが第一に考えることは何でしょうか。おそらくまず、情報の収集を、と考えるのではないでしょうか。情報がなければ、構想が立てられない。だから、まず情報を、というのがあなたの発想かもしれません。

しかし、この発想をまず疑ってみてください。

情報といえば、まずテレビでしょうか。それから、もちろんのこと、インターネットの存在は、日々の生活や仕事の中で、不可欠なものです。とくに、このインターネットの普及は、情報の概念を大きく変えたといっても過言ではないでしょう。インターネットの力によって、世界中のさまざまな情報が瞬時にして地球上のあらゆるところまで伝わるようになりました。その他、ラジオ、新聞、雑誌等を含めた、各種のメディアの力による情報収集の方法を、わたしたちは無視するわけにはいかないでしょ

う。しかも、こうしたメディアが、あなた自身の自覚・無自覚にかかわらず、いつの間にかわたしたちの仕事や生活のための情報源になっているということはもはや否定できない事実でしょう。

しかし、よく考えてみてください。

それらの情報の速さと量は、決して情報の質そのものを高めるわけではないのです。たとえば、世界のどこかで起きた一つの事件について、地球上のすべての人々がほぼ同時に情報を得ることは可能ですが、その情報の質は実にさまざまであり、決して同じではないのです。

しかも、その情報をもとにしたそれぞれの人の立場・考え方は、千差万別であるといっていいでしょう。

こう考えると、一つの現象をめぐり、さまざまな情報が蝶のようにあなたの周囲を飛び回っていることがわかるでしょう。

大切なことは、そうした諸情報をどのようにあなたが切り取り、それについて、どのように自分のことばで語ることができるか、ということではないでしょうか。

もし、そうした自分の立場を持たなかったら、さまざまな情報を追い求めることによって、あなたの思考はいつの間にか停止を余儀なくされるでしょう。つまり、さまざまな情報に振り回されて右往左往する群集の一人になってしまうということです。

さらに、ここには、次の二つの問題が潜んでいることが多いものです。

一つは、知らないことを知りたい、わかりたい、だから調べたい、もう一つは、自分の知っていることをみんなに教えてあげたい、というものです。

この「知りたい、わかりたい、調べたい」という意欲そのものは、人間の好奇心の一端としてとても重要だと思いますが、これでは自分のことばで表現することはできません。もう一歩踏み込んで、「なぜ知りたいのか」というところまで、突き詰める必要があるでしょう。そうしないと、自分の立場が見えてこないのです。

ここでいう「自分の立場」というのは、トピックについて自分がどう考えるかというあなた自身のスタンスだということができます。

次に、「教えてあげたい、知らせたい」というのも、ほぼ同じ構造を持っています。この立場も、自分の知っている知識や情報を、知らない人に与えようとする発想から出ているわけで、「知りたい、わかりたい、調べたい」のと反対のベクトルではありますが、やはり知識・情報のやりとりのレベルにとどまっているからです。知識・情報のやりとりだけでは、自分の固有の主張にはなりにくいため、展開される議論そのものが表面的で薄っぺらなものになってしまいます。

さらに、「～してあげたい」という心理には、パターナリズム（温情的囲い込み主義）というお節介焼きの感情が含まれていることがしばしばあります。この背景には、相手も自分と同じような価値観を持ってほしい、あるいは持つべきだという心理が働いているといえるからでしょう。

もちろん、知識・情報を求めることが悪いといっているのではありません。前述のように、そのこと自体は、人間の好奇心を満たすものであり、前向きに考えるための重要なきっかけではあります。

しかし、「考えていること」を他者に示し、それについて他者から意見をもらいつつ、また、さらに考えていくという活動のためには、情報を集め、それを提供するという姿勢そのものが他者とのあいだに壁をつくってしまうことに、気づかなければなりません。

表現するという行為は、ここでもくわしく述べるように、とてもインターラクティブ（相互関係的）な活動です。相手あっての自分であり、自分あっての相手なのです。

こうした状況の中で、情報を提供・享受するだけという、一方向的なやりとりでは、そうした相互作用がきわめて起こりにくくなるのです。

そこで、この「知りたい、わかりたい、調べたい」や「教えてあげたい、知らせたい」の知識情報授受症候群から、いち早く脱出することを考えなければなりません。

だからこそ、情報あっての「私」であり、同時に、「私」あっての情報なのです。


（細川英雄『対話をデザインする』より一部改変）

3　テーマと主張

「自分の考えを出す」ための視点

自分の問題意識について表現することとは、結局、自分の個人的なことになってしまい、それは主観的なことになるから書いてはいけない、客観的な発表やレポートにするための方法とは資料を集めることだ、というのがこれまでの考え方でした。

たとえば、テーマ設定の際、あなたは、文献やテキストあるいは参考書などで紹介されている事例や、テレビや新聞などマスコミで話題になっているものを選んでしまう傾向がありませんか。

しかも、他者に示すものであるからには、知識的な要素を含んだもの、たとえば、文献資料を調べるとか、アンケート調査をして結果を出すとか、そういうものがテーマの解決にふさわしいのだと思い込んでいませんか。

だから、「私」の視点からテーマを考えるというと、自分のことだけで主観的な問題になってしまい、客観的な結果にならない、という批判を恐れてはいませんか。

ここに、無自覚的な「客観性」神話があるといえるでしょう。

文献資料やアンケート調査が一切ダメだといっているわけでは決してありません。しかし、そうした情報収集の前に、あなた自身の、なぜ○○が問題なのかという「私」の問いがなければ、何も始まらないといっているのです。そうした問いなしに、一般論としての情報が重要だと思い込んでいると、テーマそのものの取り上げ方や切り込み方がきわめて類型的なものに陥ってしまうことにあなたは気づいているでしょうか。

ここで、まず把握されなければならないのは、この「私」固有の視点です。すなわち「私でなければ書けないこと」をどう表現するかということなのです。この視点のことがオリジナリティでしたね（24ページ参照）。

しかも、このオリジナリティとは、一度手に入れればいいというようなものではないのです。他者との対話によって揺さぶられ、場合によっては崩される個としてのアイデンティティなのです。つまり、自己確認と自己表明の繰り返しと、他者との対話的体験によって「私」は、新しい「私」への変容を自覚することができるようになるわけです。この新しい「私」に変容するための自己変容の装置こそが、他者との対話によって導き出される検証的思考であり、それがときに、あなたの思考と表現を活性化させる活動だということになるでしょう。

この「私でなければできないこと」というオリジナリティの視点こそが、自分の「考えていること」を発見し、それを「ことば」にして他者に伝えるための活動としてもっとも基本的なスタンスとなるものなのです。

表現によって他者を説得できるか

表現の活動の中で、「私」を出すか出さないかという問題は、さまざまな議論があります。何かを報告するというような場合、通常は、「私」が入る余地はないかもしれません。「できるだけ客観的に事実だけを報告すべき」というようなことはしばしば指摘されます。

だから、報告のような発表やレポートの中に「私」は登場しないのが当たり前なのです。
しかし、そのような話題に「私」が出るか出ないかということと、その表現プロセスと「私」の問題が関係あるかどうかということとは別のことではないでしょうか。

表現活動においては、あなた自身の興味・関心から問題意識への大きな流れがあるはずです。その凝縮した意識の結果として表現はあるのです。そうだとすれば、その表現活動のプロセスにおいて、その人の個人的な側面は十分反映されると考えるのが妥当でしょう。

これまでの表現の方法の類書の中では、「私」を出さないように表現する、それが客観的な文章の話し方・書き方だという記述はそれこそ星の数ほど見られますが、それは、出来上がった文章を分析してみると、たしかにそうだということを述べているに過ぎないのです。表現する人の立場に立てば、表現するという行為のプロセスの中で、「私」の問題を考えるかどうかというのは、とても重要なことであるはずなのです。

なぜなら、「私」に関する個人的なことを表現するということと、テーマを「私」の問題にひきつける、すなわちテーマを自分の問題として捉えるというのは別のことだ、ということなのです。

表現活動のためには、この「私」の問題をどう捉えるかが、とても大切な鍵になってくるのです。

ここまで述べてきたことをまとめると、以下のようになります。

・絶対的な客観は存在しないこと。
・事例の切り取り（編集）において必ず解釈が入る（ここで主観性の問題が発生する）。
・主観か客観かという二項対立ではなく、表現によって他者を説得できるかが大事。

こういう状況において、あなたは、自分の主観で切り取ったものは相手に伝わらないと断念してはいないでしょうか。

この問題は、主観だからダメだということではないでしょう。事例を切り取ること自体が主観的な作業なのですから、それ自体を否定してしまったり、拒否してしまったりしては、問題が先に進みません。

だからこそ、表現活動は、自分の考えていることを相手に説明し納得してもらうためのものであり、そのことによって、わたしたちは、人と人とを結ぶ関係において嘘をつかない習慣をつくることができます。それは同時に、表現したものを自己完結的に収束させない、社会にひらかれた活動として位置づけることになるのです。

表現の方法に標準モデルはない

表現するという行為が、一種の対話活動であるということをはじめに述べましたが、対話であるということは、当然のこととして人間の言語による相互コミュニケーションの活動であるということです。

これまで、表現の方法を考えようとする場合に、すでに出来上がった表現の形を徹底的に分析し、その結果としての特定のモデルを作成することが重要だと考えられてきました。たしかに、これは、いわば標準モデルを作成する仕事で、このこと自体は、表現の構造や仕組みを知る上で必要不可欠な仕事でした。

ところが、人間の言語による活動は、一人ひとりの個人による「考えていること」を、その当人がどのようにして自分を表すかという作業ですから、最終的には、本人にしか操作できない問題なのです。ですから、いくらすばらしいモデルを示して、「このようにやれ」と命令したところで、そのように行くはずはないのです。ちょうど、北風と太陽のエピソードのように、「人を強制的に動かすこと」と「人が主体的に動くこと」とは別のことであるわけです。

したがって、今までの表現の方法について書かれた本の多くは、標準モデルを知るまでは機能しますが、それから先の表現活動そのものの実践の問題となると、とたんに色褪せるわけです。

ここからは、人間一人ひとりの心の中の問題であり、そんなに簡単にモデル化できるような問題ではないわけですね。ですから、まずここで考えなければならないことは、自分の仕事をすすめるためにはどのような環境がもっともふさわしいかをあなた自身が設定することなのであり、次に、その表現しようとする作業環境をあなた自身がどのように整備するか、ということなのです。

そして、これは個人一人ひとりの問題ですから、一律に組織化することがいいわけではありませんし、できるものでもありません。さまざまな個人が自分の思う活動ができるようにするための環境の意味を考えつつ、活動環境そのものを準備し整備することが必要だということになるでしょう。

コラム6　「正しさ」という幻想

あなたが何かについて表現しようとするとき、ほとんど無意識のうちに、いつのまにか自分の思考と表現の活動を阻害していることについて考えてみましょう。

あなたは、「正しい答え」を求めてはいませんか。

もちろん、すすんで「誤った答え」をしたいと思っている人はいないでしょうが、どこかにある「正しい答え」を念頭において、そのルールや規範に自分を合わせようとしてはいませんか。

ちょうどテレビのクイズ番組のような習慣によって、いつの間にか「自分で考えること」をやめてしまってはいないでしょうか。

ことばによる表現とは、その使い方が、どこかにルールや規範として記述されているわけではなく、あなたの中に日常の感覚として息づいているわけですから、これをどのようにして表現するかということは、本来、あなた自身の自由なのです。

それは、あなたにしかできない作業であり活動なのですが、いつの間にか「正しい答え」を期待してしまう習慣があなたの自由を縛ってしまっています。

こうしたとき、あなたにとって必要なのは、「正しい答え」に自分を合わせることではなく、自分の「考えていること」を自ら「引き出す」ことであるはずです。しかも、それは1回かぎりの修正においてではなく、幾度とない対話的やりとりの中で醸成される、他者との活発な往還関係によってつくられるものなのです。

ここでは、表現の形式的な正確さよりも、情報の質としての説得の可能性、つまりあなたの「言いたいこと」が重要なものとなります。あなたは自分の外側の「正しい答え」の束縛から解放されてはじめて、自分自身のことばを自分なりのスタイルによって他者に提示することを体得することになるでしょう。それはすなわち、あなた自身が自律的に自分なりの言語活動の方法論を身につけること、つまり自分自身のことばを発見するためのスタイルの体得を意味するのです。

もちろん、このことは、ことばに関する知識や技術のトレーニングを一概に否定するものではありません。表現の厳密性やそのための技術習得はきわめて重要なものです。しかし、そのこと自体が目的化してしまうと、本来の目標を見失うのです。

究極的には表現の内容は「情報」というかたちで規定されるものではなく、むしろあなたが「自分自身で発見したもの」となるでしょう。

このことが、テーマを発見・設定し、それについて自ら解き明かしていくための方法論として重要になるのです。自分自身の興味や関心にしたがって表現したいものを発見し、それを自分の言語活動に活かす、その経験そのものが活動内容となるのです。しかも、そうした自律意識をあなた自身に持たせ、主体的に活動に取り組めるよう方向づけられるのは、この世にあなたしかいないのです。

（『対話をデザインする』より一部改変）

第3章

自分のテーマで対話する

きみの眼を内に向けよ。そうすれば、きみの心の中にまで発見されなかった一千の場所を見出すだろう。そこを旅したまえ。

ヘンリー・デヴィッド・ソロー（1817─1862）『森の生活─ウォールデン』

表現するという行為は、他者を説得するとともに納得してもらい、結果として相手と価値を共有するという行為です。言い換えれば、ことばによって他者を促し説得し交渉を重ねながら少しずつ前にすすむという行為、つまり、暴力に訴えない、ことばの活動として人間ならだれにでも必要な相互関係構築の行為なのです。

相手に自分がどう見られるか、どう評価されるかを気にするのが一つの現実だと前述しましたが、「自分がどう見られるか」を気にすることと、相手がどう考えているかを知ろうとすることは、まったく別のことであるはずです。

ここのところをよく考えつつ、相手の要求を受け止めつつ、自分の考えを表明することができるようになることが表現活動の基本的な姿勢だろうと思います。だからこそ、表現は対話活動だという認識が必要になります。

1　主張と対話

テーマと主張は、問いと答えである

テーマを決め、具体例を示すことの意味と方法について考え、ようやく自分の意見・主張を展開するところまで来ました。自分の主張を展開するとは、すなわち、自分の決めたテーマに即して、具体例を示しつつ、自分の結論を出すということです。

一般に表現活動というと、どうしても完成されたかたちを思い浮かべてしまうでしょう。表現として完成されたものから、なかなかそのプロセスが浮かんでこないのは、いわば当然のことなのかもしれません。

しかし、あなたが表現しようとするのは、まさにそのプロセスを体現することなのですから、完成されたかたちに惑わされることはありません。むしろ表現の活動そのものをことばによる相互の対話活動として捉えることが、最終的に、充実した表現活動のためのスプリングボード（踏み台）となるでしょう。

では、表現活動をあなた自身の対話活動の一環として捉えることとは、どういうことなのでしょうか。

これに該当する命題が、「テーマと主張は、問いと答えである」ということなのです。

あなたは、はじめにテーマを立てました。そのテーマによる主張は決して自己完結的に自分の言いたいことだけを述べるものではなく、聴いてくれる相手（読者）を想定しながら、表現されるべきものでした。

それは、テーマと主張の関係が、いわば問いと答えの関係になっていることを意味しています。だれにとっての問いと答えかというと、あなたから相手への問いであり、同時に、あなたの中での自分への問いと答えです。

ですから、「なぜ」という問いは、あなた自身に向けられていると同時に、相手へも向けられています。この「なぜ」にどのようにして答えるかが、表現活動のもっとも大切なポイントなのです。

これを忘れると、だれのための表現活動なのかがわからなくなり、結果として何のために表現されたものなのかが判然としなくなります。

この「なぜ」に答えるためには、ただ自分の考えを述べるだけではなく、そのように考える根拠を示さなければならないことは、この本の中で繰り返し述べてきたことです。ここに表現という作業が対話活動であることの意味が準備されているわけです。

対話としての表現活動

このように、表現それ自体が、問いと答えの構造をなしているということは、表現それ自体が人間のコミュニケーションのかたちをとっているということでもあります。

つまり、問いと答えとは、自分の考えていることを相手に提示し、その意見に対する考えを相手からも提示してもらって、そこから、また次の答えを導き出していくというプロセスだからです。これはまさに人間のコミュニケーションの形態そのものであることがわかるでしょう。

ところが、わたし自身も研究会等でしばしば経験することなのですが、この問いと答えの関係は、それぞれが自律した個人でないとうまくいかないことがしばしばあります。たとえば、講師の提案に対して、自分はこう思うのだが、講師はどう思うかというような質問が出てくると、議論が活性化します。

ところが、自分の意見は出さずに、質問だけを提示し、それに講師が答えるということを繰り返していると、議論そのものが活性化しないばかりか、会全体の雰囲気が停滞してしまいます。これは参加者一人ひとりの問題意識や参加意識の問題ともかかわっています。つまり、参加者がそのテーマを自分の問題として捉えているかいないかというところで研究会そのものの緊張関係も変わってくるからです。

研究会に参加する意味は、たんに何かの情報やその回答を得るためではなく、問いと答えを相互に交流させ、それを糧に自ら考え始めるためであるといえるでしょう。

したがって、問いと答えといっても、ただ質問と答えというのではありません。「なぜ」という自らの問いに、「そうか、そうなのだ」という自らの発見の答えがほしいのです。

もちろん、わからないから訊《き》くという行為も重要です。しかし、ただ、その繰り返しでは何も始まりません。質問の背後には、常に「なぜ訊くか」「なぜこの質問なのか」という質問者自身の問いがなければ、本来の質問の意味がないでしょう。

この意味で、表現という活動は、あなたと相手の、そしてあなた自身の対話の活動なのです。

対話のレッスン

このように、表現活動の基本はこの対話であるといってもいいでしょう。決してどこかに引き籠《こも》って一人でものを考えたり書いたりすることだけではありません。

では、なぜ表現活動に、そうした対話が必要なのでしょうか。

それは、一口で言えば、あなた自身の「なぜ」を解決するための、具体的な「内容」を充実させるためです。「なぜ」の部分だけでは、たんなる感想文やエッセイに終わってしまいます。

いくら「私」をくぐらせていても、それだけでは不十分で、一度「私」から離れてみる必要があるのです。つまり、自己に即しつつ、これをもう一度相対的に自分からつきはなし、説得力のある結論を導き出すために、この対話の活動は不可欠のものなのです。

対話活動にはさまざまな種類のものがあります。

ちょっとした友人のアドバイスから会議における熱い議論まで、公私にわたる他者とのやりとりが対話活動、すなわちインターアクションです。

かくいうわたしにとっても、この本を書き上げるまでの編集者のFさんや下書きを読んでコメントをくれた仲間との対話はなかなかダイナミックなものでした。

各章ごとの原稿に対して、その都度、Fさんが自分の意見を返してくれます。つまり、わたしの問いへの答えをフィードバックしてくれるわけです。それに対して、またわたしが問いを投げかける。このようにして原稿が出来上がっていきます。

これが、いわば対話のレッスン（平田オリザ『対話のレッスン――日本人のためのコミュニケーション術』参照）なのです。

よく日本人は議論が下手だといわれることがありますが、わたしはこうした「評論的な」

文化雑論をまったく信用していません。まさに自分ごととして課題を捉えているなら、どこのだれともわからない「日本人」を対象にして、「日本人は議論が下手」などとは言えないはずだからです。

本来、人間にとって対話そのものはつらいものです。議論が生まれつき得意な人など、世界中のどこにもいないはずです。たしかに人は生まれるとすぐに対話をはじめ、そのことによって言語を獲得し、社会生活もはじめるようになるわけですが、その対話によって自分の価値を形成するのですから、一度形成した価値をさらに対話によって変容させていくのは、先の見えない真っ暗なトンネルの中を歩くのと同じくらい怖いものでしょう。

傷つきたくないという気持ちがあれば、つい自己防衛的になるし、自己防衛的になれば、自己変容は起こりにくい、という具合に、対話は常に諸刃の剣なのです。

だから、やりとりそのものは、相手のことば尻を捉えるようなことはしないことが望ましいわけです。あくまでも内容中心でいかなければ相手の意欲をそいでしまうからです。ここでのポイントは、この本でも示している「私にしかできないこと」に連動し、オリジナリティのある表現活動ができているかどうかということが焦点になるでしょう。

そこで行われる自分自身の「考えていること」を引き出すという活動は、他者との接触を活動の中心に据えることからはじまると考えることができます。

この活動によって、あなたが自分以外の他者との信頼関係が取り結べたという達成感を得ることが重要なのです。この自分自身の認識それ自体が、あなたの自己表現に大きく寄与するからなのです。

そして、この諸刃の剣を使うことでしか人間は生きられないのですから、根拠のある議論によって自分の「考えていること」を他者に伝えていき、他者との共存・共生を図るしかないのです。

対話は一回かぎりではない

テーマが決まると、その後に具体例の提示が待っていますが、その具体例は必ずしも、机上の作業とは限りません。いろいろな人にインタビューしたり、アンケートを取ったりすることもあります。その間、文献や参考資料を見たり、関係者に意見を聞いたりすることも多いでしょう。また、原稿の下書きや草稿を仲間に見せてコメントをもらうこともあるはずです。

こうした活動がすべて対話であると捉えると、あなたは常にさまざまな対話を繰り返していることになります。しかもその都度、さまざまな調整を行いつつ、変容したテーマを立て直したり、方針を変更したりしながら、目標に向かって少しずつ歩いているわけです。

そう考えると、こうした他者との対話は決して一回かぎりのものでないことがわかるでしょう。よく相手とのコミュニケーションに失敗したらどうしようとか、人間関係をうまくやっていくために、恥をかかない効果的・効率的なコミュニケーションの方法というようなものが提案されていますが、こうした発想には、どうもコミュニケーションは一回だけと思い込んでいる節があります。

コミュニケーションを含めた対話は、決して一回かぎりではありません。ですから、失敗したらまたやり直せばいいのです。わからなかったら、聞けばいい、むしろ、やり直しや質問のできる環境をどのようにしてつくるかということの方がずっと大事なのです。

表現活動の過程では、こうしたことをはじめ、さまざまなトラブルが生じるものですが、それは当たり前のことで、トラブルがおきたら困るというのなら、何もしないでじっと寝ているしかありません。さまざまなトラブルを前にして、では、どのようにしたら、このトラブルを楽しめるのか、という発想のほうがどれだけ生産的なことでしょうか。

しかも、自分にしか語れないことを語るのですから、これに決まったマニュアルがあるはずはありません。自分なりのやりやすい自然に即した方法を自分で考案していけばいいだけのことです。

思考と表現はスパイラル

あなたには、いつも何か「考えていること」があり、それに基づいて、あなたは何らかの「言いたいこと」を心の中に持っています。このことを、この本では思考と呼んできました。しかし、この「言いたいこと」がはっきり自分でわかっているわけではないことはすでに述べました。そこで、この「言いたいこと」をつかむために、あなたはたいへんな苦労をします。たぶん「心の中のモヤモヤ」という感触で、あなたはこの「言いたいこと」

「私」の中のモヤモヤ

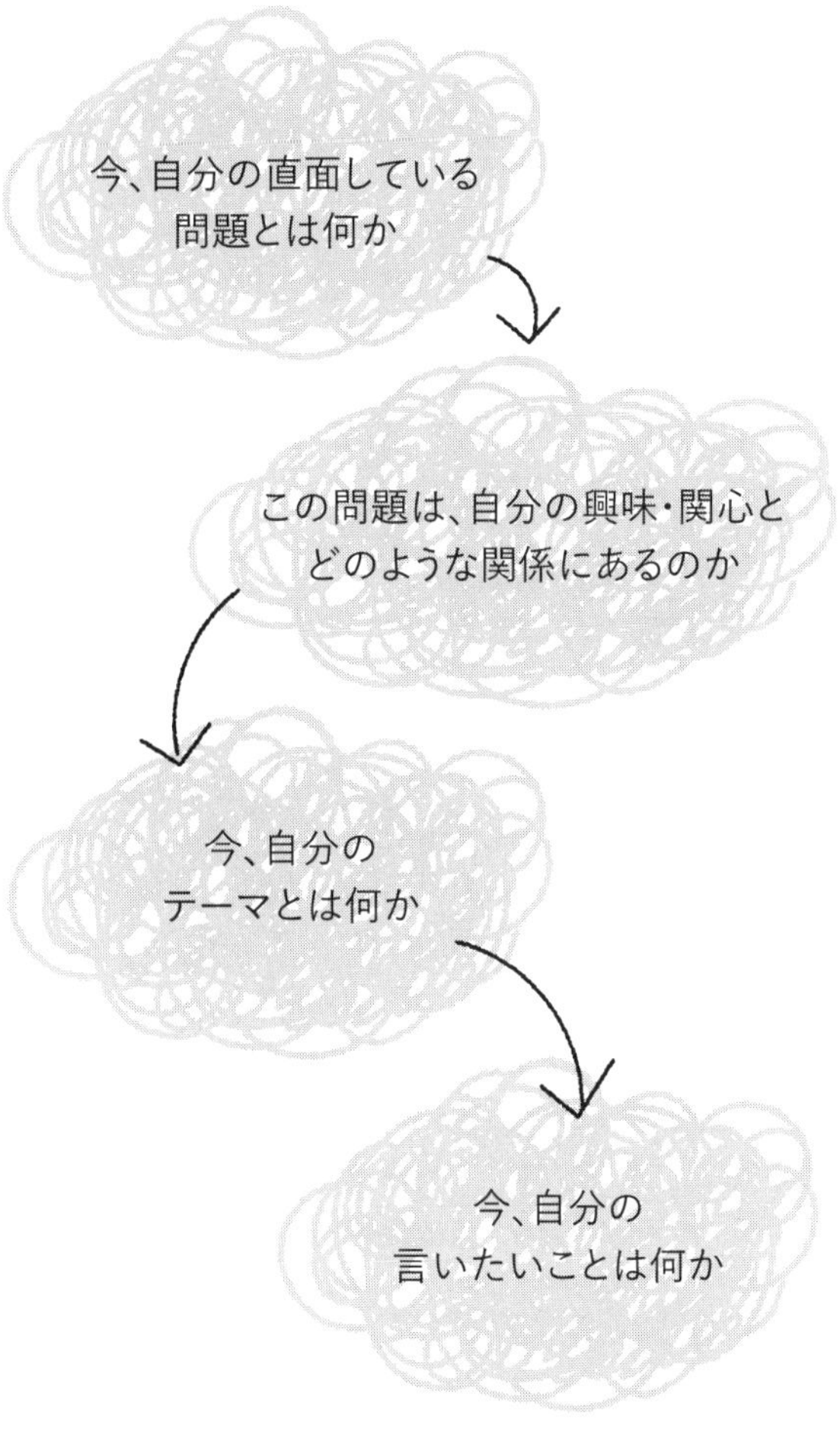
今、自分の直面している
問題とは何か
この問題は、自分の興味・関心と
どのような関係にあるのか
今、自分の
テーマとは何か
今、自分の
言いたいことは何か

を感じているはずです。このモヤモヤをつかむためには、二つの方法があることも前に述べました。

一つは、独り言として「考えていること」を外言化し、ブツブツと繰り返してみたり、メモをとってみたりすることです。もう一つは、とにかく他者へ向けて話しかけてみること。よく話しているうちに、自分の言いたいことが見えてきたというのは、この効果によるものでしょう。

この二つの方法に共通するのは、いずれにしても何らかのかたちで自分の「考えていること」をことばにする、つまり表現化するということです。自己内の思考⇕表現の往還関係によって、この思考の「言いたいこと」が次第に見えてくるというわけです。

このように、思考と表現の関係は、スパイラル（螺旋《らせん》形）のようになっているのです。

このことによって、人は心の中のモヤモヤをさまざまに表現化せざるを得なくなります。自己の思考の周辺を、やはり自己の表現によって気流を巻き起こしながら、とびまわるわけです。そうすると、そこに気流によってまき起こされた渦のようなものがぼんやりとできはじめます。そのとき、あなたはそこで「何か」を感じるでしょう。

たいがいの場合、自分が何を言おうとしたかはきちんとしたかたちでは記憶に残らないのですが、航跡のようにぼんやりとは浮かんでくるものです。これを頼りにしつつ、次の段階になると、自分の「言いたいこと」は目に見えてはっきりしたかたちで提出できるようになります。

これは思考⇕表現の往還によって、自分の心の中のモヤモヤがいつの間にか見えてきたことを表すものです。ちょうど、自己の思考の周辺を表現によってとびまわっているうちに、いつの間にかラセン形に自己の高度があがっていて、ふと気がつくと自分の言いたいことが目の下に、こんなにはっきり見えた、という感覚を持つことができるようになるのです。

「鳥になる自由」の感覚をつかむ

この感覚のことを、かつてわたしは「鳥になる自由」の感覚と呼んだことがあります。ちょうど大空を舞う鳥のように、自分の考えていることが目の下に、はっきり見えた、という自由の感覚です。

表現活動は、まさにこの感覚によって繭から糸を紡ぐように、ことばを紡ぐ作業であるとわたしは考えています。しかも、ある程度訓練をつむと、はじめに述べた第一の方法、つまり自己内での思考と表現の往還を自分ひとりの作業としてできるようになります。それから、他者に向けて話すことで、意識的に自己を振り返り、自分の「言いたいこと」を自分で見つけるということが可能になってくるのです。実は、今、わたしがこの本を書いていること自体、そうした側面を持っているのです。

ですから、この「鳥になる自由」の感覚をつかむには、ある程度の訓練と習慣を必要としますが、だれでも得られるものなのだと思います。

では、こうした自由の感覚を持つにはどうしたらいいのでしょうか。

それには、自分以外の他者との充実した対話と、自分の中の「なぜ」の意識化です。たとえば、「これはなぜか」「だれが言ったのか」「本当にそうか」「では、それはなぜか」……こういう問いを永遠に自らに課しつづけること。そして、その成果を他者（単数、複数）に向けて継続的に発信し、他者からの反応に全身全霊をかけて応戦すること。ただ、これだけです。

また、この感覚を阻むもの、それが、いわゆる常識やステレオタイプ、その他、偏見とか先入観と呼ばれるものです。別に述べた他人の受け売りや「正しい日本語」に寄りかかるヒエラルキィ、集団類型化（「日本人だから」、「男（女）だから」、「教師（学生）だから」、「早稲田（慶應）だから」……）などにとりつかれていると、この感覚を身につけることが難しいのです。それは、そうしたものがバリヤーになって、自分の「言いたいこと」が見えなくなるからなのでしょう。

そして、何よりも考えるための自由を自ら放棄してしまうところに原因があります。

だれのために「書く」のか

当面のテーマの設定から具体例を用意し、テーマと主張の関係が問いと答えであるというところまで来て、ほぼ大方の考えはまとまってきたことでしょう。

最後に、だれのために書くか、という問題をもう一度、振り返ってみましょう。

これは会議に出す企画書でも、学生のレポートでも、同じことです。

まず、読者を想定するところから、表現の活動行為が始まるからです。

公開を前提にした原稿ならば、不特定多数の読者が読むということになりますから、だれか特定の相手を定めて、というわけにはいきません。新聞のような一般的な読者を想定した媒体の場合には、だれが読んでもわかるような文章を作り上げる必要があります。

一方、不特定多数の読者に向けてであっても、あるいはやや限定つきの読者に対してであっても、自分の立てたテーマに対する答えが最初からあって、それを相手に向けて表現するというスタイルではないはずです。テーマを立てたとき、自分は何が表現したいか、と考えたわけですが、残念ながら、自分が本当に言いたいことは、はじめからすべてわかっているわけではなかったはずです。自分の中にモヤモヤしたかたちであることはわかるのだが、それが何であるかはよくわからない。そのモヤモヤをつかみたい、明確にしたい、という思いで表現することによって、それが明らかになってきたのだといえるでしょう。

そうすると、最終的には、表現活動という行為の一つの目標は、自分で自分を納得させるためだと言うことができるでしょう。

　このように考えると、主張の宛て先、対話の相手は、さまざまに考えることができるわけですし、その対話の活動こそがとても重要な意味を持つわけですが、一番難しく、かつ厄介なのが自分との対話であるということになるかもしれません。

コラム7　エッセイとレポートはどう違う――他者を意識した表現活動へ

エッセイとレポートはどう違う？

こういう質問をよく受けることがあります。

同じ文章の表現なのに、どこか宛て先が違うような気がする。

多くの人の、このような迷いは、まず、これまでのその人の表現に関わる経験や受けてきた文章教育の影響と深い関係があるでしょう。「思ったことを感じたまま書いていい」という「感想文」を書く教育を多年にわたって受けてきています。しばしば日本の国語教育の問題としてあげられることもありますが、わたしの外国人のための日本語教育の経験から言うと、これは日本だけの問題ではありません。むしろすべての地域で、すべての国で、人間は母語の育成期にいやというほど、このような感想文を書かされてきています。

欧米では論理的な文章を、日本では感覚的な文章をといった指摘はいたるところの文化論で見られるところです。また、欧米人は議論になれているが、アジアの人間は議論になれていないというような言説を世界中のいたるところで聞きます。

ところが、具体的な文章をいざ表現する段階になると、すべての人はみな同じ問題に突き当たるのです。むしろ、欧米流の高学歴のエリートほど、この壁に突き当たるといってもいいでしょう。

自己形成期の過程で、人はさまざまな感想文を書かされてきました。それは、自分の見た事柄や現象についてどう感じるか、どう思うか、そしてどう考えるか、ということを表現するのです。つまり、思ったことを感じるままに表現するという習慣は、思春期を中心に世界中の母語教育で根づいているといっていいだろうと思います。ただ、別に述べたように、「思ったことを感じるままに表現する」ということそれ自体が悪いことだとはわたしは決して思っていません。むしろ「思ったことを感じるままに書くべき」であるとさえ思うほどです。

ただ、問題は、なぜその文章をだれに向けて表現するのかという問いを欠いたまま、文字に書き連ねることが「思ったことを感じるままに表現すること」だと思い込んでしまうことです。しかも、この文章表現観が思春期を過ぎてからもいつまでもわたしたちを支配しているといえるのです。

こうした感想文の多くは、きわめて自己完結的な世界の話ですから、そのままでは、それ以上の発展性がありません。極論すれば、そうした自己完結性の強い文章ほど、むしろエッセイとして高く評価されてきたのです。

これが、いわゆる専門分野に近づいてくると、こうした自己完結性の高い文章は、「主観的」だといって排除されるようになります。それぞれの専門分野では今度は、文章は「客観的」であらねばならぬという近代科学の考え方に完璧といっていいほどに支配されるからです。この「主観的」から「客観的」への橋渡しあるいはつながりについて、おそらくすべての母語教育で熟慮されてこなかったことが、表現するという行為へのつまずきとなって、いま現われているとわたしは考えています。

自己完結的な文章を「主観的」とし、論文のような論証を必要とする文章を「客観的」と定めてしまったところに大きな問題性があると言えるでしょう。

論点はむしろ、主観・客観の問題なのではなく、テーマに関する他者の存在の有無なのではないかとわたしは考えます。つまり、エッセイは、とくに他者の存在を必要としないでも書けるが、こちらの考えを明確に相手に伝えるためのレポートは他者の存在を前提に書かなければならない。この違いです。これは、エッセイそのものが悪いということでは決してありません。自己完結的な文章を読者の前に放り出すことによって、新しい世界が表出する広がりや可能性もたしかに存在します。たとえば、エッセイのような日常を描く文章は、出来事や現象に対する、固有の眼が必要であるし、その捉え方の感性はだれにでもあるというものではありません。鋭い批評眼と豊かな感性が必要なことはいうまでもありません。そういう意味では、感想文やエッセイは、最終的に他者との妥協を許さぬ、自己完結的な孤高をめざすものであるとも言えるでしょう。

しかし、実際の生活や仕事のなかでの表現活動は、かならずその表現を受け止める他者が存在するということを忘れてはならないのです。

（『論文作成デザイン』より一部改変）

2　自分の主張とは何か

表現活動のプロセスと構成

では、他者に提示するかたちとして表現をまとめる場合、どのようにすればいいのでしょうか。

次ページの図は、表現活動の組み立てのもっとも基本的かつオーソドックスなかたちを示したものです。序論・本論・結論という言い方もできるでしょう。この本で言えば、第2章で考えてきたことがこれに該当します。まず、この構成をしっかりと押さえてください。

表現活動の組み立て

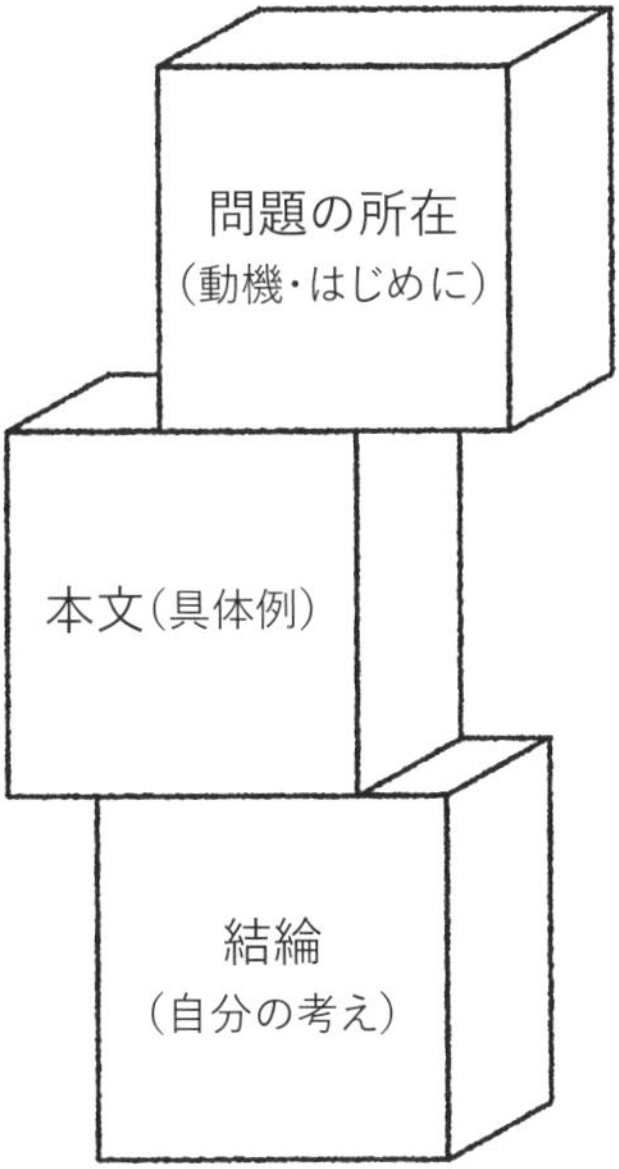

表現の構成について

次に、それぞれの構成についてもう少しくわしく述べることにしましょう。

まず、「はじめに」のかたちで、問題の所在について記述します。これは、いわば、問題意識について書くことです。次ページの図で言えば、1にあたる部分です。分量的に言えば、だいたい全体の10〜20パーセントくらいでしょう。

次に、2の本文では、自分の問題意識を具体的に説明します。場合によっては、個別の具体例を出して、くわしく解説することも必要になるでしょう。

いわゆる学術研究などでは、ここで先行研究のまとめを行います。先行研究とは、今までの同じテーマ・トピックの研究にはどのようなものがあるかということです。先行研究としての理論＝情報ですから、従来の研究で解決されていない点を指摘し、自分の研究の理論的な裏づけを行うとともに、ここでの理論的結論を出します。実践的立場からの研究では、実践記録などの具体的なデータを提示することになります。実践＝体験となる場合

表現活動の構成

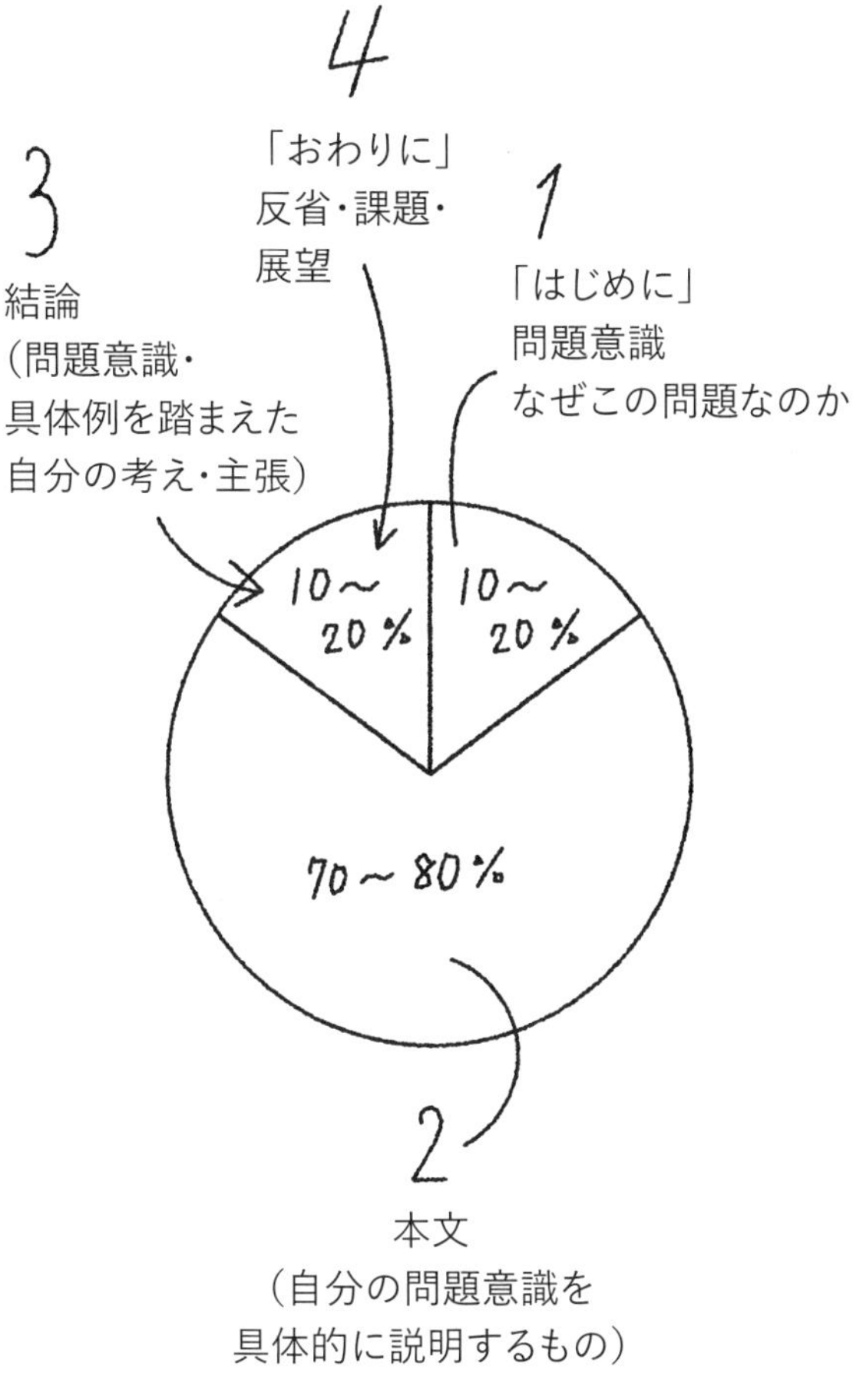
4
「おわりに」
反省・課題・展望
3
結論
（問題意識・具体例を踏まえた自分の考え・主張）
1
「はじめに」
問題意識
なぜこの問題なのか
10〜20%
10〜20%
70〜80%
2
本文
（自分の問題意識を具体的に説明するもの）

もありますが、都合のいいデータだけでは説得力がありません。うまくいかなかった実践は、なぜうまくいかなかったのかを説明することで、その問題が明確になります。ここではあくまでも具体的なデータに即して、実践的結論を出します。そのための分析と考察の過程を示す部分だと考えればいいでしょう。

いずれにしても、ここが、本論に当たるところですから、全体の70～80パーセントを占めることになります。

まとめが、3「結論」となりますね。問題意識、具体例を踏まえた自分の考え、主張をここで述べることになります。

基本的には、自分の問題意識を提出し、その問題がそれまでどのように考えられてきたかを論じ、そこから考察すべき新しい課題を明示して、それに具体例で答えを出し、最後に理論的な結論との一致を検証する、という手続きを踏むことになります。理論と具体例のどちらが先かということもありますが、以上の原則さえ押さえていれば、あとのことはさほど大きな問題ではありません。

最後の4「おわりに」では、この表現活動全体に関する反省および活動を通して得られたこと、これからの展望などを書きます。

表現活動の基本は、周囲にある情報や自分自身の体験を批判的に考えるということです。ですから、いつも周囲の情報を疑い、自らの体験をも疑うという態度が求められます。一度出た結論に安住しないで、常になぜそうなのかということを自分に問うことがまた次の表現のためのステップになるでしょう。

今回の表現活動で得られたことは、これから本格的に活動しはじめるための第一歩であると考えればいいでしょう。

すべてが言えるわけではない

といっても、上記のすべてのことを盛り込んで表現できる場合は限られています。

たとえば、卒業論文や修士・博士論文のように、とくに枚数に制限のない場合は、かなり自由に書けますが、研究誌や専門雑誌などでは、量的に厳しい制限がつきます。この場合は、適宜、必要なところを残して、その他は削っていかざるを得ません。

一般には、そのようなものをまとまって書くことはそれほど多くないとは思いますが、ただ、どのような場合でも、はじめに示した序論・本論・結論の順、つまりここでの1から3までの流れは基本的に変わらないといえるでしょう。

たとえば、問題意識から具体例の提示、そして結論に至るプロセスは、修士論文のようなやや大きなものから、自分の主張したいことを述べたレポートまで、ほとんど共通していることを意味しています。このことをしっかり認識することです。

もちろん、はじめに述べたように、読者のそれぞれの段階は個人によって異なるでしょうし、活動の分野・領域によって多少考え方が異なると思います。おのおのの段階や分野に合わせて考えてみることが必要です。大切なことは、考えていることすべてを書き込むのではなく、自分の主張に従って、今ここでどうしても言わなければならないことに論点を絞り、そのことだけを言うために表現するという姿勢でしょう。

表現活動プロセスを以上のような立場で考えてくると、表現するという行為は、出来上がったかたちを問題にするよりも、出来上がるまでのプロセスをいかに大切にするかというところにポイントがあることがわかります。

これをわたしは、「長くて暗いトンネルを歩く退屈な話」と呼んでいます。この退屈なプロセスを線の形でつぶやきふうに示すと、次のページのようになります。

このつぶやきは、表現活動の長いトンネルを歩く際の、道しるべでもあります。今自分がどこにいるのかを知ることは、長いトンネルの中で、光を見失わずに考えていける証でもあるでしょう。

まずは、興味・関心のあることから、問題関心は何かを探ることが肝心です。それは、はじめの問題意識をどのように形成させていくかという問題でもあります。そのためには、問題関心を先鋭化し、なぜ関心を持ったのか突き詰めて問題意識に持っていくことが必要になります。

その際に、はじめのテーマを固定的に考えすぎずに、新しいものに転換した場合は、そのプロセスをしっかりつかむようにすることは前に述べたとおりです。

同時に、テーマをはっきりしたものとして他者に示す努力をしましょう。それは、表現で何を明らかにするのかを明示することでもあります。

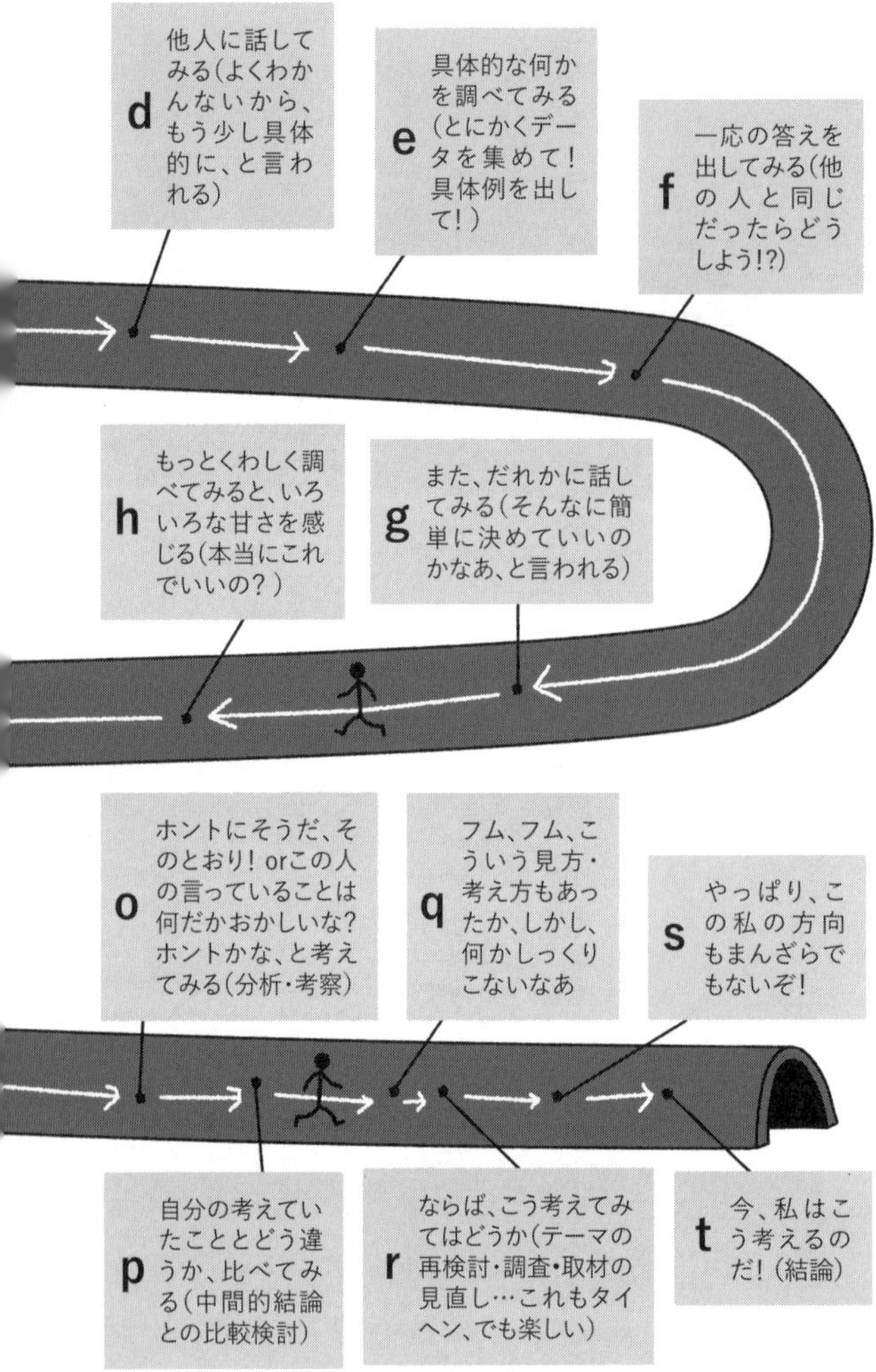
d 他人に話してみる(よくわかんないから、もう少し具体的に、と言われる)
e 具体的な何かを調べてみる(とにかくデータを集めて! 具体例を出して!)
f 一応の答えを出してみる(他の人と同じだったらどうしよう!?)
g また、だれかに話してみる(そんなに簡単に決めていいのかなあ、と言われる)
h もっとくわしく調べてみると、いろいろな甘さを感じる(本当にこれでいいの?)
o ホントにそうだ、そのとおり! orこの人の言っていることは何だかおかしいな? ホントかな、と考えてみる(分析・考察)
p 自分の考えていたこととどう違うか、比べてみる(中間的結論との比較検討)
q フム、フム、こういう見方・考え方もあったか、しかし、何かしっくりこないなあ
r ならば、こう考えてみてはどうか(テーマの再検討・調査・取材の見直し…これもタイヘン、でも楽しい)
s やっぱり、この私の方向もまんざらでもないぞ!
t 今、私はこう考えるのだ!(結論)

表現活動のプロセス
（長くて暗いトンネルを歩く退屈な話）

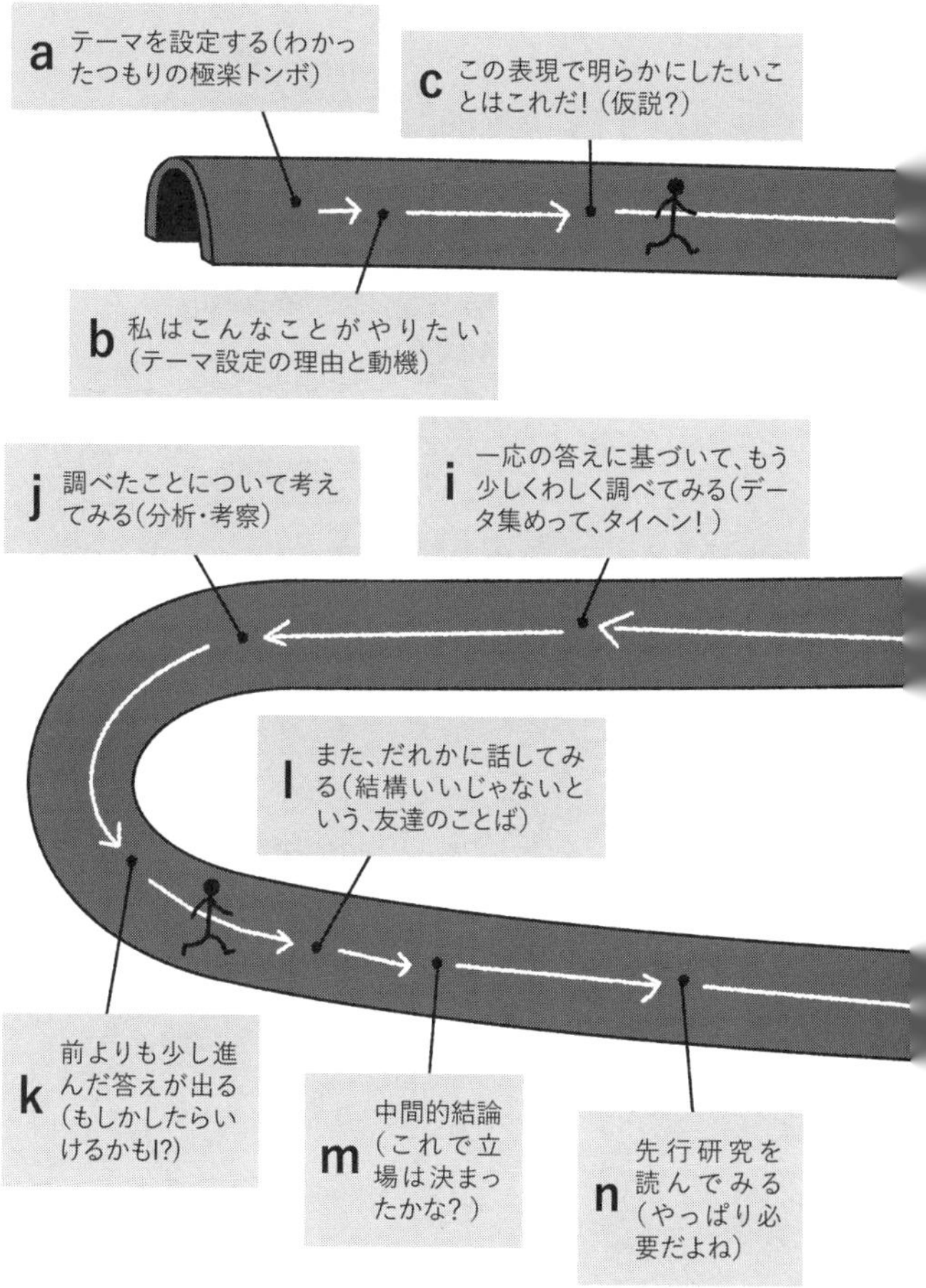
a テーマを設定する（わかったつもりの極楽トンボ）
b 私はこんなことがやりたい（テーマ設定の理由と動機）
c この表現で明らかにしたいことはこれだ！（仮説？）
i 一応の答えに基づいて、もう少しくわしく調べてみる（データ集めって、タイヘン！）
j 調べたことについて考えてみる（分析・考察）
k 前よりも少し進んだ答えが出る（もしかしたらいけるかも!?）
l また、だれかに話してみる（結構いいじゃないという、友達のことば）
m 中間的結論（これで立場は決まったかな？）
n 先行研究を読んでみる（やっぱり必要だよね）

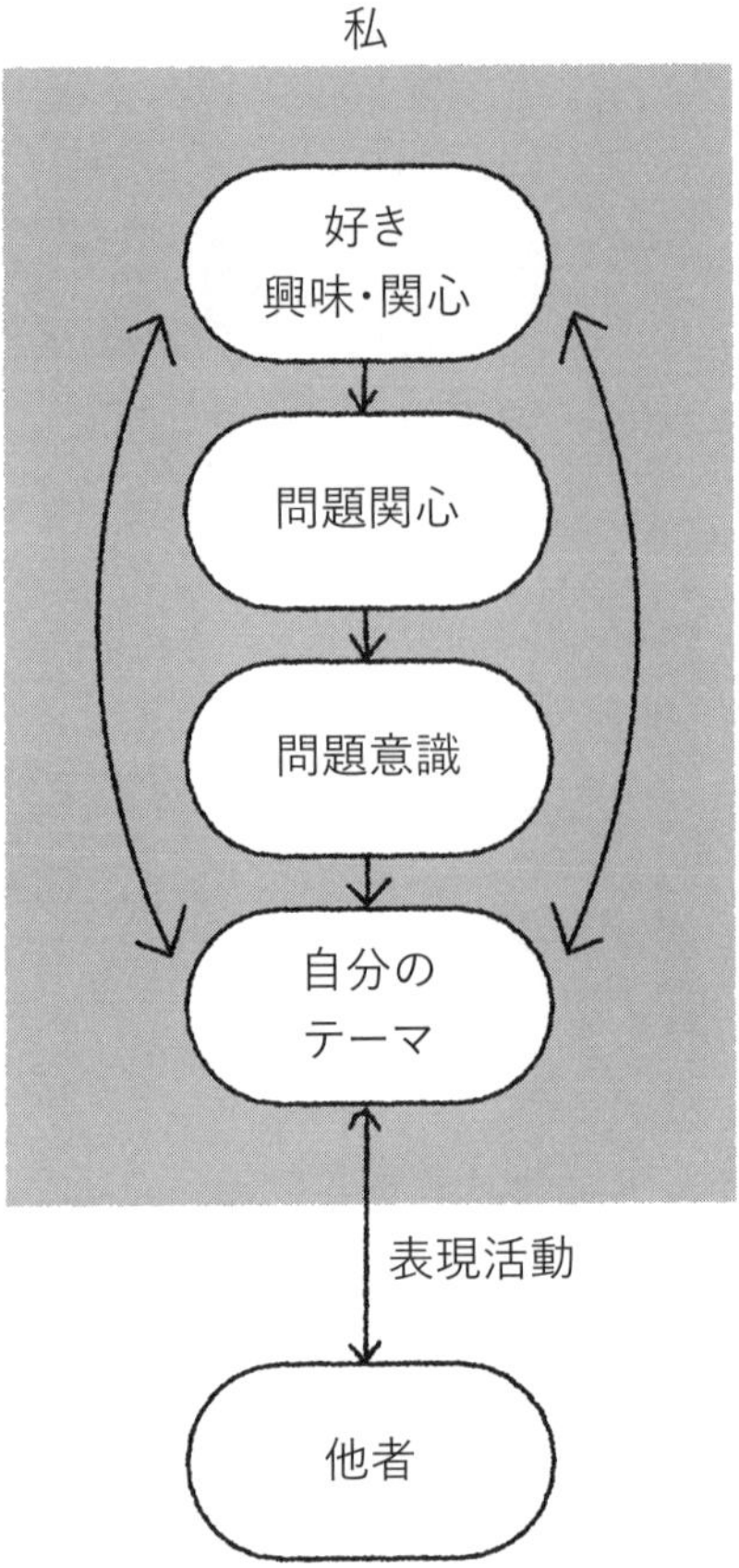

結論すなわち自分の主張は、自分のテーマと具体例を往還させながら常に問題意識を問うことによって得られるものです。これが一貫性のある表現にするための基本的なステップだといえるでしょう。

肝心なことは、この表現活動の過程で、右の図のような循環を常に意識することです。

はじめに持っていた問題意識から出たテーマは思いつきでもかまいません。これを徹底的に掘り下げていくことによって、場合によっては、テーマが大きく変容したり、大きく深まったりすることがあります。このことを恐れないことです。そのズレを尊重しつつ、さらに歩いていくと、やがて結論が姿を見せます。ちょうど長い暗闇の中で、かすかな光を目当てにずっと歩いてきて、突然目の前に現れた、大きな角を持った鹿と出会うときのように。

表現活動の枠組みを振り返る

表現活動のプロセスをたどってみたことで、その形成過程は見えてきたことと思います。最後に、表現をもとにした活動の枠組み全体を、表現作成のプロセスと関連付けながら振り返ってみましょう。

表現活動としてのテーマ設定・具体例・結論という３段階は、そのまま表現プロセスとも合致します。

表現の構成として、序論・本論・結論の順については先ほど述べましたが、これは、テーマ設定・具体例・結論という用語に置き換えることもできます。

まず、テーマ設定固めでは、テーマを自分の問題として捉えているかという問題が重要ですし、テーマ設定と具体例では、さまざまな立場や意見をどのように取り入れているかという問題ともつながります。

さらに、表現活動全体の枠組みを決定する際にも、他者との対話によるグレイドアップが不可欠であることはすでに述べたとおりです。

そして、最終的な表現の構成として、他者と共有できる論理を構築することと、テーマから結論（主張）への一貫性が問題になるわけです。

自分の表現を公開するということ

この論理のルールに関連して、あなたの表現が、相手をめざすものである以上、公開性という考えが重要であることはすでに述べました。

ここで気をつけなければならないことは、表現はその公開性ゆえに不特定多数の人が受け取る可能性があるということです。したがって、だれかを不当に傷つけたり、プライバシーを侵害したりするようなことが決してあってはならないのです。固有名詞、姓名や会社名などを出す場合は、了解をとる必要があります。了解がとれなければ、必ず匿名にするなどの工夫が必要でしょう。

また、それぞれの記述について責任の所在を明らかにしているか等についても気を配らなければなりません。

なぜ、このようなことを考えるかというと、この表現の公開性は、常に公共性という概念をも伴うからです。公共性というのは、すべての人にひらかれているということを原理とします。つまり、自分の表現することを公開するということは、その作品が公共物として、また発信者一人ひとりの顔の見える、署名入りの議論として、その責任が問われるということです。ものを書いて発言するということは、この自分の責任において公開の議論に参加するということなのです。

協働で考える環境をつくる

この本では、自分の考えをまとめるという作業から、自分の経験をもとにしつつ、最終的に自分の立場をつくるというプロセスおよびそうした活動のためのさまざまなプロセスについて説明してきました。

そして、ここまでさまざまに考えてきて、表現という活動には、他者とのやりとりが大きな役割を果たしていることがわかってきたと思います。つまり、表現するという活動には、継続的な対話環境が必要であるということなのです。

そうはいっても、言いたいことの中身について話し合う相手もいなければ、そうしたグループにも参加していないが、どうしたらいいか。

こういう質問は、表現活動とはだいぶ離れた質問のように見えますが、実は、核心を突く問いだということが言えます。

なぜなら、表現するという活動は、どうしたらいろいろな人と協働で考えられる環境を創れるかということと連動しているからです。

だからこそ、それは協働的な作業だということになります。

しばしば表現活動は、だれも手伝ってくれないから孤独な作業だという人もいます。修士論文や博士論文の作成中に、たった一人で考えこみ、孤立の迷宮に入り込んでしまう学生の例を今まで山のように見てきました。

たしかに、ものを考えたり書いたりすることは、孤独な作業としての側面もありますが、最終的にそれは決して孤立して行えるものではありません。

このためにも、一人で抱え込んで悩むのではなく、グループの中で立場や意見の異なる人たちとも一緒に考えていくということが重要なのです。

〈テーマ→経験→主張〉という一連のセットを、表現活動として展開するためには、つねに論理的な整合性が要求されますから、自分の言いたいことや経験の内容について、グループのメンバーに見せつつコメントをもらって、一緒に考えるという、このやりとりがとても重要であることがわかってくるでしょう。

普遍的な知の構築をめざして

テーマの設定から具体例の提示、そして最終的な原稿の仕上がりにいたるまでの、いろいろな議論をすべて対話のプロセスとして検討してきました。

表現という活動では、だれかが自分の持っていない答えを持っていて、その答えをだれかからもらう、という発想でいるかぎり、課題は展開しません。

もう少し過激に言うと、表現するという行為は、自分に無いものをだれかから、どこからかもらう、という、この自分自身の構造をいかに崩していくか、と考えることにあるということができます。

このことは、自分のつくりあげるものはすべて自分の責任であるという考え方に基づいています。前述のように、もしだれかから教えてもらうことを前提とする場合は、自分が持っていない知識をどこからかもらってこなければいけないわけです。あるいはどこからか探してこなければいけないわけです。

要するにリソース（資源）がどこかになければいけない。そのリソースをどこからかもらってきて、それを、いわば横流しのようにまただれかに与える。人はそれをもらって、またただれかに教えていく、という循環が、社会の中で出来上がってしまいます。

たとえば、教育の制度としてのそうした循環は近代の学校の中ですでに出来上がっているのですけれど、それをどのように乗り越えていくかを考えることが表現活動の新しい地平を拓くことでもあり、個人のレベルでいえば、人間としての普遍的な知をどのように構築するかということなのであるとわたしは考えています。

一方、さまざまな生活や仕事の実践は、すべて自分の居場所としてのありかをより良くしていきたいという思いが原動力になっていると考えることができます。

そうすると、その表現活動について考えるというのは、最終的には自己表現であるとしか言いようがなくなります。だれのために考えるのか、と問われたら、それは、すべて自己のためであると。

では、表現活動はだれのためか、というと、表現もまた自己のためであるとしか言いようがありません。しかし、その表現は常に他者に向けられ、他者との関係の中で育まれます。したがって、表現活動における自己と他者との関係は、他者あっての「私」、「私」あっての他者なのです。

この場合の表現活動というのは、決して人前で発表するとか改まった文章を書くとかといった成果を指して言っているのではなく、少しでも満足のいく表現活動をめざして、自分自身を内省的に振り返りながら、自己存在の意味を確認して、他者との対話を通して、より高次の自己表現をめざそうという活動のことです。

そういった自己表現としての活動ということを考えるとき、生活や仕事と表現を一つに統合して考えるという視点がきわめて重要になってくるのです。

毎日の生活の中で考えたこと、それぞれの仕事の中でやりたいこと、できること、そういうものをすべて自分の中での統一された一つの知として位置づけようとするのが表現活動だ、と考えることができます。

それがあえて言えば、人間としての普遍知の構築という課題へと結びついていくのです。このような考え方は、知識や情報そのものを排除するということではありません。知識・情報はそれぞれの個人一人ひとりによって選び取られ蓄積されるものであり、その知識の重なりをどのように共有していくかを検証するのが表現化という作業だとも言えるでしょう。その意味で、表現活動は常に相互的な協働作業として組み立てられなければなりません。それは常に行為者の共通了解の産物であり、この共通了解なくして表現という行為は成り立ち得ないことを意識すべきだろうと思います。具体的には、あらかじめだれかに用意された到達点に自分の活動を近づけることではなく、表現という活動自体によってそれぞれのコミュニティとしての共通了解をどのように形成することができるかという課題なのです。だからこそ、表現という行為をどのように構想・具体化し、自分の活動として実践していけるかが、今後の、さまざまな個人の生活や仕事との関係で期待されるところなのです。

コラム8　言語、言葉、ことば――世界中にあることばとは何か

世界中にあることばとは何か。

このような問いに、わたしたちはどのように答えることができるでしょうか。

まず言語とは何かという問題があります。

たとえば、世界中に言語はいくつあるかという問いの「いくつ」は、しばしば「何か国語」という表現に置き換えられます。「何か国語」というからには、国の数ということになりますが、国連で承認されている国家は、およそ200前後です。しかし、この地球上に、言語はおよそ6000〜8000あるとされていますから、国の数をはるかに上回る言語が、世界中にはあるということになります。

ということは、一つの国に平均しておよそ30〜40の言語があるということになりますね。また、この6000〜8000という数字は世界中の民族の数とほぼ符合していることから、一つの国には、30〜40の民族があって、それぞれが異なる言語を使っ

て生活しているということになります。

ゆえに、わたしたちが言語について考えるとき、地球上の言語・民族を広く視野に入れていく必要があることは言うまでもありません。

しかし、わたしたち一人ひとりの日常にもっと即してみると、個人は、両親のことばを家族の中で受け継ぎ、育つ地域のことばを享受し、国家の言語を学習します。そして、さまざまな他者とことばを共有し、地理的に離れた地域・社会のことばを学び、それらを総合して、自分のことばを形成していくという自分誌を持っています。

近年、一つの社会における多言語多文化という考え方が流行しましたが、最近では、一人の個人の中に複数の言語・文化がある、複言語複文化という発想が提案されています。

これは、一つの社会に多くの言語があるというだけではなく、一人の個人の中にさまざまなことばが内在していることを示唆するものです。この場合の言語とは、必ずしも完璧に使える言語を意味しません。あいさつ程度、買い物だけ、少しわかる、といった、一見中途半端なものをも十分含みうるということです。

このように考えてくると、「言語」と「ことば」とはまったく同義ではないことに気づくのではないでしょうか。いわゆる言語学で区切られた6000～8000の境界を持つ「言語」としてではなく、地球上の個人の数だけ、すなわち70億の「ことば」という可能性に広がっていくからです。

さらに、その個人が、いくつものことばを内在させているとすれば、もはや数値で測ることができない無数のことばが、この世界に存在するということになります。

こんなふうにいうと、やや大げさに聞こえるかもしれませんが、たとえば、日本語一つを例にとっても、さまざまな地域語としての方言があり、方言の中にもいろいろな使い分けがあり、さらに、おのおの個人には家族語があります。この家族語というべきものもそのファミリィ・メンバーすべてが同じ「ことば」を話しているわけではないことは明らかです。

こんなふうに見てくれば、「ことば」と「言語」の違いというものも少し見えてくるかもしれません。

言語学は、その言語の系統や構造そして機能を中心に、言語を分類し、言語の縁戚関係を規定するわけですが、それは、ことばを考える上での、一つの側面に過ぎないということになります。人と人をつなぐためのことばは、言語の種類や形だけではなく、もっと大きなもの、全体的なものだということになるでしょう。

あえてヴィゴツキーに倣って、外言として表出したものを「言語」と呼ぶならば、内言に相当するものが、いわば思考にあたります。この思考と言語を結びつけるプロセスが「言葉」ということになるでしょうか。さらに、仮名書きの「ことば」は、思考と言語を結びつけるだけではない。身体の感覚や心の感情をも含みうる全体概念として機能しうることになります。

人が感じたこと、思ったこと、考えたことを他者に向けて表現するという行為は、その身体に由来する感覚、心から出た感情に支えられて具体化することになります。表現という行為は、身体感覚から発して、思考から言語に至る活動の総体を指すことになり、その総体こそを「ことば」と称すべきだということになるでしょう。

仮に、上記のことを整理すれば、およそ次のようになるでしょうか。

言語＝論理的な思考の表出したもの
言葉＝思考から言語へのプロセス
ことば＝身体の感覚、心の感情、論理の思考による表現活動の総体

この場合の身体の感覚や心の感情は具体的な目に見える形をとらないため、おそらくはそれぞれ身体の声、心の声としてわたしたちには感知されることになるのかもしれません。つまり、人と人の関係をつくり・つなぐための総合的・総体的やりとりのプロセスとしての「ことば」のあり方を考えることによって、わたしたちはあらためて「ことば」の存在とその意味を知ることになるのです。

（細川英雄「言語・文化・アイデンティティの壁を越えて――ともに生きる社会のための対話環境づくりへ」、佐藤慎司・佐伯胖編『かかわることば』より一部改変）

3　社会をつくる個人として

生きる目的としてのテーマ

なぜ経験による自己表現という活動が不可欠なのでしょうか。

現実的に言えば（人と場合によっては現実的ではないかもしれませんが）、自己表現というのは、自分の生きるテーマを見出すということとほぼ同義だからなのです。

自分の生きるテーマを見出すというのは、ただ好きなこと、興味・関心のあることを発見するということにとどまりません。

その興味・関心のありかがどこにあるのかを考えることによって、自分がどう生きるかということの方向性を見出すということなのです。

さらに、このことは、他者や社会とどうかかわったらいいのかということと密接につな

自分の生きるテーマを見出す

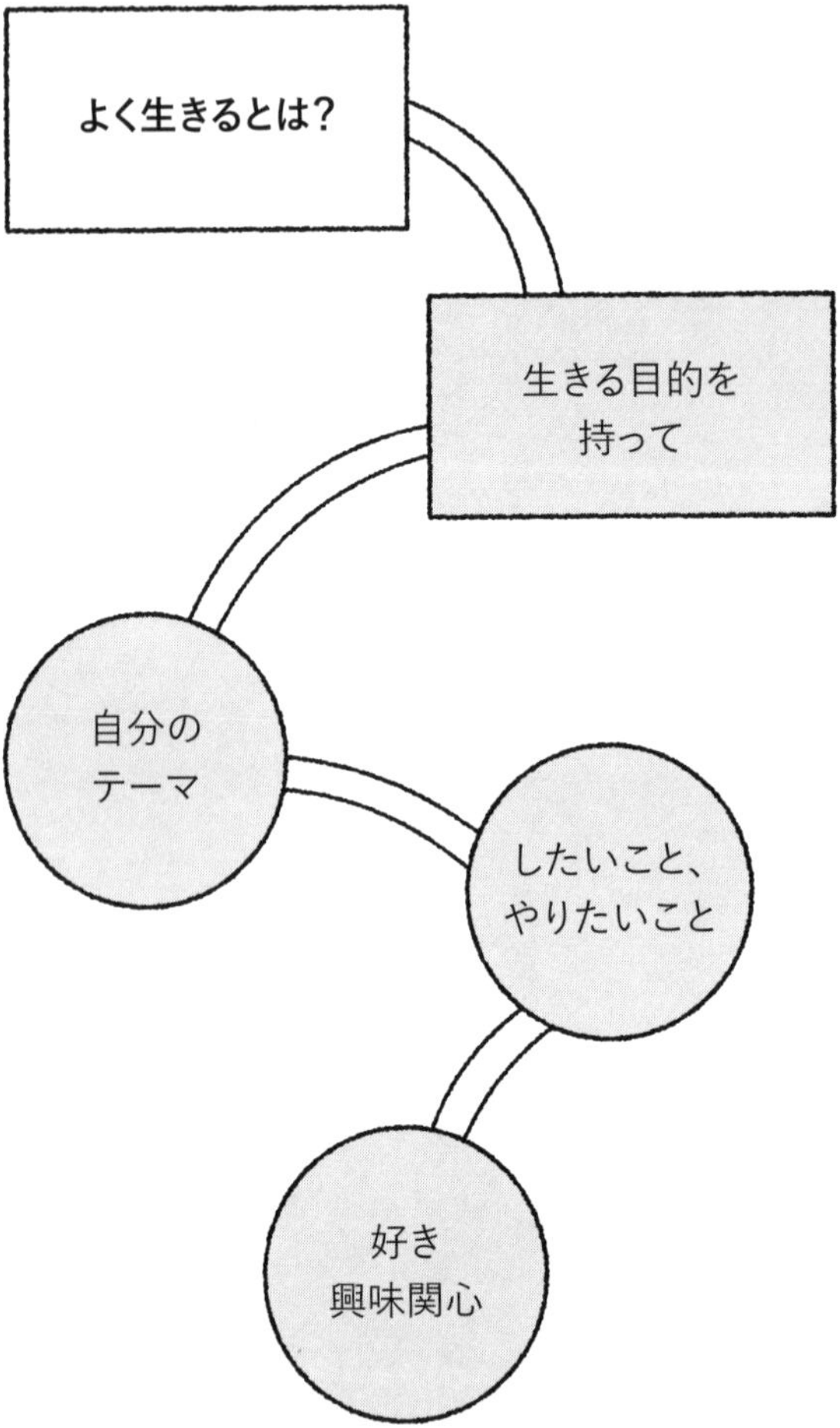

がっています。なぜなら、自分の興味・関心がこの社会においてどのような意味を持つのかを考えることになるからです。

　したがって、「私はどう生きたいか」という思いは、自分の生きるテーマを見出すことにつながり、同時にそれは、他者に向けて自己表現することによって、その実現へとしだいに近づいていくことになります。

表現することによって人は何ができるのか

　では、このような自らの経験を表現することによって人は何を得ることができるのでしょうか。あるいは、今、相手に向けて自分の経験を表現することは、わたしたちにとってどのような意味を持つのでしょうか。

　ことばによって相手に何かを伝えようとすることは、わたしたちの日常において、ほんとうにさまざまな場面で起きています。

　ことばを使って自分の考えていることを相手に伝えるという行為は、自分自身の個人的な私的領域から相手という未知の存在へ働きかける公的領域への行為であると言えます。

しかも、そのことが、自己と他者への橋渡しになっていると考えると、言語による活動とは、個人が社会とつながるための重要な活動であるということができないでしょうか。

あなたの経験が相手に伝わることによって、そこにあなたと相手とのコミュニティとしての社会が生まれ、その社会の影響をわたしたちは一身に受けることになります。

そこでは、相手の価値を認め、その相手とともに、この社会とどのようにかかわるかを自分のことばで語る、一人の個人をつくることになります。

社会性・自律性のある個人をつくるということは、個人が市民として社会のなかで生きていくことであり、その個人一人ひとりがどのような社会をつくろうとするかを考えることでもあります。こうした市民となること、つまり市民性の形成によって、公共性のある社会のあり方を考えるきっかけにもなります。

市民性形成というと、国会へデモをしたり戦争反対のビラをまいたりというイメージを持っている人が多くいるかもしれませんが、そういうことではありません。相手とする主張の根拠やそこからの帰結などについてよく考え、ことの是非を判断する個人をここでは、市民と呼びたいと思います。市民であるからこそ、社会の変革を望み、批判的な精神を持つということなのですが、社会を変革するとは、一昔前の政治体制の転覆を理想とする、旧式の革新ではなく、むしろ日常的な考え方や生活を営む人間のあり方を対象として深く思考し対話する思想なのです。

このように、表現するという活動は、個人と個人が何かの話題について話し合うことだけではなく、それぞれの個人がことばを使って自由に活動できる社会の形成へという可能性にもつながっていきます。

このとき、その内容としての経験の重みをもった表現活動はその個人にとってかけがえのない固有の発信の基地となり、そうした個人と社会の関係を循環させるはじまりでもあるのです。

だからこそ、あなたにとっての経験をもとにした表現活動は、あなた自身がことばを使って自由に活動できる社会の形成のための重要なカギになると言えるでしょう。

表現は、社会にアクセスするための切り口

では、あなた自身がことばを使って自由に活動できる社会の形成のためのきっかけとは何でしょうか。

そうです、「わたしは今、何を考えているの?」「今、わたしの一番知りたいことは何?」という自分に向けての問いこそ、あなたをこの社会的なやりとりの中に誘い込む、はじめの切り口なのです。

なぜなら、あなたはさまざまな社会の中で、さまざまな他者とやりとりを繰り返しながら生きているのですから、この社会的なやりとりにアクセスすることは、表現活動の始まりであり、ここから物事を探求する姿勢が生まれるといっていいでしょう。そのためには、何が必要なのでしょうか。

まず、具体的で必然性のある中身が必要でしょう。「今、わたしは何を考えているのか?」「今、自分の一番知りたいことは何か?」という自分への問いの答えを「ことば」にしてみるということです。ただしその問いの答えは、あなたが生活に対してどのような意識や

目的を持っているかによってさまざまに異なってくるでしょう。基本的に人の考えていること、言いたいことは一人ひとりすべて異なるからです。

だから、「考えていること」を「ことば」にするからといって、何も皆が同じ活動をしなければならないという理由はどこにもないわけです。むしろ、それぞれ能力が異なり、背景が異なり、考えていることが異なるのだから、一人ひとりの作業はさまざまであっていいと考えるほうが自然でしょう。

そうなると、「考えていること」を「ことば」にできないと、もしあなたが感じるならば、それは、与えられたものを与えられたとおりに実行しなければならないという思い込みに自分自身を閉じ込めているからだといえないでしょうか。

「今、わたしは何を考えているのか？」「今、自分の一番知りたいことは何か？」という自問自答は、あなた自身に向けられているのですから、むしろスムーズには運ばないのが普通でしょう。スムーズに行くかどうかは、一般論ではなく、あなた自身の問題として考えられるべきことです。表現活動そのものが求めるものは一時的なスムーズさではなく、生活の、そして人生の全体の中で、あなた自身が達成する充実感なのです。

生活・仕事の中の表現へ

表現活動というと、どうしても学校や芸術関係のようなところでの特別な職業や分野を想像しがちですが、そうした活動でさえ、毎日の生活の中で培われていくものなのです。したがって、表現という活動をどのように解釈し、どのように自分の生活や仕事の中に取り込んでいくかは、それぞれの人のそれぞれの生き方の問題だということができます。

そうした意味で、現在の大学をはじめとする教育研究機関は何も解答を与えてくれません。大学時代の専攻とは異なる分野で仕事をしている人はたくさんいますし、その仕事の中での出会いをきっかけに、異なる方向をめざすようになるというような例は、むしろ一般的でさえあります。しかし同時に、いざその分野に入ろうとすると、思った以上に難しいことに気づき、そこからまた、新しい方向性を模索するようになるのでしょう。

これはちょうど、自分の立場を見失った状態だといえます。

こうした悩みを抱えている人は、最近とても多くなっていると思われます。自分の生活や仕事に何か不安を覚え、かつ何かを乗り越えようとするのだけれど、それが何か、またそれをどのように乗り越えたらいいか、どのようにしたらいいかわからないという具合です。

その解決策として、理論的な裏づけを求めて、大学や大学院への進学を考えるようになる人も多いのですが、周囲の先輩や同僚に相談してみてもこれといった解決策は見つからず、疑問と不安を抱える日々が続くといった例はいくらでもあります。

こうした状況を乗り越えるものが自己表現であるとわたしは考えています。

表現する自分を発見することで、将来の自分の方向性について予感することができるようになります。具体的には、その自分の過去・現在・未来を経験を通して振り返ってみることによって、次第に自分の中に新しい仕事や生活についてのイメージが出来上がっていきます。

生活・仕事と表現を結ぶために

では、どうしたら生活・仕事と表現を自分の中で結ぶことができるのでしょうか。いうまでもなく生活や仕事は、あなた自身のものです。同時に人は、自分の生活や仕事に責任を持つためには、どのような生活・仕事の空間をつくるかということに関して自覚的でなければなりません。

一方、個人として、人は、自分の生活や仕事が有意義なものであるかどうかを吟味する権利があるでしょう。だから、人はその生活や仕事がどのようなものであるかを他者に向けて具体的に説明しようとするのです。

そのためには、生活や仕事がどのような考え方によっているのか、という課題が存在するし、そのためには、「私はなぜ生きるのか・なぜ働くのか」ということへの自分の立場の明確化が不可欠でしょう。

このように考えると、自らの活動を活性化させるために個人の当面すべきこととは、次のようになります。

①自分の活動を活性化する空間をどのように構想できるか。
②構想した活動空間をどのように具体化できるか。
③具体化された空間での自分の活動をどのように活性化できるか。

こうした活動の構想、その空間での活動の具体化、そしてその活動の活性化こそが、個人の生活と仕事の目標であるとするならば、そのための方策は、どのようにして獲得できるのでしょうか。ここに表現の意味が存在するとわたしは考えます。

こうした生活・仕事と表現の両立をめざすには、当然のことながら、個人の日々の生活・仕事と表現との往還がもっともふさわしいことになります。つまり、どこかのだれかの表現を生活・仕事に応用するのではなく、自らの生活・仕事に根ざした問題意識の中から固有の表現を生み出し、その表現を軸にさらに新しい生活・仕事へと展開すること、これ以外に方法はありません。そして、このことは、個人としての主張をしっかりと持ちつつ、社会のあり方に積極的にかかわっていく、市民としての個人の形成をめざすものです。

この場合の表現活動とは、絶えずあなたの生活・仕事を振り返り、その意味を考えては新しい試みをめざし、その試みの過程で、常に自分のアイディアを他者との対話のふるいにかけ、よりよいものにしていくという実験的かつ試行的営為です。

そのための自分自身の生活・仕事と表現の環境をいかに切り拓くか。表現という活動を通して、生活・仕事すなわち表現という理念はどのように実現されるのでしょうか。ここにこそ、あなた自身の創意と工夫による表現活動のデザインがあるとわたしは考えます。

経験を公開することの意味

たとえば、自分の経験を表現活動の対象とすること自体にどんな意味があるのかわからない、だから、経験を公表することは、気がとがめるという話をしばしば耳にしますし、今までもよく話題になってきたことでした。

これはそうしたシガラミの中で自己を表現することを肯定的に捉えられない例ですが、ここには、表現という活動への大きな誤解があります。

本来、表現をするということは、現在の活動をよりよいものにしていくことなのです。そのためには、活動を自分一人で抱え込んでいてはダメなので、どこかで公開というかたちをとらなければなりません。その一つとして表現というスタイルをとるわけです。このことが表現活動の原点にならなければならないでしょう。

ですから、自分の経験を表現として公開するということは、決して恥ずかしいことでもありませんし、むしろ現状を変えていくために必要な材料と考えるべきでしょう。

しかし、このように考えるためには、表現という活動の意義について熟考することが求められます。表現は自分のために行うものでありながら、それは相手に問うことでもあり、同時にまた社会へ向けて発信する行為でもあるからです。

このことは、表現が、他者に向けて行われるものであるという意味ともつながりますし、公開性という考え方とも深い関係があります。

この公開性という考え方には、自分の経験をだれに向かって表現するのかという問いが含まれています。公開するからには、ただ自分のことを表現すればいいというものではありません。また、それは他の人にとっても同様で、個人的な事情やプライバシーには十分配慮しなければならないことは当然のことです。

大切なことは、対象となる経験が表現として現状を変えていくために必要な材料であるということです。ですから、それについて考え、表現することが自分にとって意味のあることであり、それを人に向けて発信することを通して、今自分の考えていることに一つの結論を得ようとしている、ということなのです。その経験の一つひとつは、そのときの説得のための材料として、とても大切な手がかりとなるのです。

個人と組織の対話

ここでは、あなたが自らのテーマに基づいて表現する活動の中で不可欠なものが、経験の提示であるということを見てきました。

それは、表現という活動が、何らかのかたちでの自らの自己表現を図っていくという筋道であることも示しています。

この場合、そのテーマを発見し解決する筋道自体は、組織によってある程度つくられるものであることがしばしばあります。

たとえば、レポートや企画書を表現するというような一連の活動は、あなたの所属する組織から与えられた枠組みであることが多いでしょう。

この「組織」の概念は、会社ばかりでなく、学校、地域、そして家族にも適用させることができるでしょう。つまり、ここでの組織とは、わたしたちを取り囲む、それぞれの社会ということもできるはずです。

ですから、この自己表現をめざす個人の活動とその意欲は、組織全体の理念や方針によって側面から支えられていることも多いわけです。組織の立場から見れば、組織内のコミュニケーション活動をどのようにオーガナイズ（組織化）し、個人個人の意図をいかに支援していくかが組織の役割にほかならないのですから。

たとえば、組織としてのミッション（使命）とは何か、ということを関係メンバー全員で考えていくとします。そして、そのミッションを果たすために、自分は何をすればいいのかをメンバーで議論し、突き詰めていくと、だんだん組織が、一つの人格を持つ一人の人間のように思えてくるという話を聞いたことがあります。これは、組織のあり方をめぐる個人間の対話が、コミュニティとしての組織自体を活性化させるということにほかなりません。

したがって、組織の中にあって、あなたができることは、さまざまな提案を組織に対して自由に行っていくことだ、ということになります。

具体的には、企画書をつくるという活動の場合、メンバーの編成、テーマ設定、取材、報告、討論、推敲、相互評価、提出といった一連の活動の枠組みはすでにできているわけですから、後の「何をトピックにするか」については、組織は、個人一人ひとりの提案を待つしかありません。したがって、ここではまず、個人一人ひとりが自分の「考えていること」を提案し、それを実現するためにはどうしたらいいかという相談をメンバー全員で行い、組織としては、その枠組みが組織としてのミッションから大きくずれないように少し離れて見守り、メンバー一人ひとりの「考えていること」が実現されるように誘導する道筋をつくる環境を用意するべきなのです。なぜなら、個人が組織をつくり、また個人は組織によってつくられるからです。

こうした活動自体が、まさに個人と個人の対話であり、その個人を取り囲む組織と個人との対話を形成するものだといえるでしょう。

社会をつくる個人として

組織あるいは社会によって個人が支えられることによって、一人ではない個人が生まれます。人が生きていくためには、必ず自分以外の他者を必要とします。現在、他者を必要としないと感じている人でも、そのように感じる自己を生成し、そのように考えるための言語もまた、それまでの他者との交流によって形成したものであることは自明です。そうした自己と他者を包むものが、組織＝社会であるとするなら、個人は、社会によってサポートされるということです。だからこそ、具体的な例は、そうした「考える」個人の集団としての組織の中に、さまざまなかたちで見出されるものであるはずなのです。

こうした表現活動は、今までの活動にありがちだった即座の反応を期待しません。もちろん、そのための支援として、個人のつくりだす意図と場面に応じた適切な方向を組織として提示することはありますが、それ自体が目的ではないはずです。一定の限られた期間内で、あなた自身が考えたことを自分のことばで表現するのを組織はじっと待っているのです。それは、たどたどしくてもかまわない、あるいは多少間違っていてもいいのですから。

このような表現活動能力を獲得し、それを組織の中で生かしていくのは、ほかならぬあなた自身であり、そしてそれは、あなたが自らの考えていることを他者に向けて表現しようとする意思において、はじめて立ち現れる課題なのです。言い換えれば、あなたが自分自身の思考と表現をどう結ぶかということに直面したときでもあるはずなのです。その意味で、表現という活動はすべて「個人主体」でありながら、同時に、社会をつくる個人のためにあることを確認するものであるといえるでしょう。

その中で、自らの経験を自分のテーマとして示すことで対話を形成するという考え方を個人一人ひとりが有することによって、表現活動ははじめて他者とともに生きることをめざし、よりよい社会をつくるという方向性を持って動き出すのです。

コラム9　モノローグ（独り言）からダイアローグ（対話）へ

今、表現するとは何かと考えてみましょう。

表現するということは、とても簡単にいえば、相手に語りかけることです。

しかし、一方的に相手に話しかけても、その相手がこちらの言っていることに耳を傾けてくれるかどうかは、だれも保証できません。

しかも、ただ話しかけるだけだと、それがおしゃべりになってしまうという大きな課題があります。

おしゃべりとは、相手に話しかけているように見えながら、実際は、相手のことを考えなくても成立してしまうのです。

でも、相手があって話をしているのだから、相手のことを考えていないとはいえないのではないかという質問も出そうですね。

たしかに、このときは、相手に向かって話しかけてはいますが、ほとんどのおしゃべりは、何らかの答えや返事を求めて話しているのではなく、ただ、自分の知っている情報を独りよがりに話しているだけではないでしょうか。そこでは、相手の存在をほぼ無視してしゃべっているわけですね。

あのことが、うれしい、悲しい、好きだ、嫌いだ、というように、自分の感覚や感情をそのままことばにして話していても、相手は、「へえー、そうですか」と相槌を打つだけ。今度は相手も自分の思いを語りはじめ、お互い、感じていること、思っていることを吐き出すと、お互いなんだかすっきりして、なんとなく満足する。こういうストレス発散の点では、おしゃべりもそれなりの効果をもっていますが、おしゃべりはおしゃべりのまま終わってしまうことがほとんどでしょう。

このように、いわゆるおしゃべりの多くは、相手に向かって話しているように見えても、実際は、モノローグ（独り言）に近いわけでしょう。表面的には、何らかのやりとりがあるように見えますが、それ以上は進展しません。

これに対して、相手の存在を考え、話題の中身のやりとりを進めるためには、対話と呼ばれるダイアローグへと展開させる必要があります。

自分の言っていることが相手に伝わるか、伝わらないか、どうすれば伝わるか、なぜ伝わらないのか、そうしたことを常に考えつづけ、相手に伝えるための最大限の努力をする、その手続きのプロセスがダイアローグとしての対話にはあります（この課題については、『対話をデザインする』（ちくま新書）でくわしく述べました。この本でもいくつか重なるところがあります）。

対話の重要な点は、実際のやりとりに相手がいるかどうかだけではなく、話題そのものについても、どのような他者を想定するかということがとても重要になります。つまり、その話題が、他者にとってどのような意味を持つかということが対話の進展には重要だということです。

したがって、ダイアローグとしての対話行為は、モノローグのおしゃべりを超えて、他者存在としての相手の領域に大きく踏み込む行為なのです。

言い換えれば、一つの話題をめぐって異なる立場の他者に納得してもらうために語るという行為だとも言えますし、ことばによって他者を促し交渉を重ねながら少しずつ前にすすむという行為、すなわち、人間ならだれにでも日常の生活や仕事での必要な相互関係構築のためのことばの活動なのです（『対話をデザインする』22ページ）。

　相手に向けて表現しようとする行為は、まさにこのようなダイアローグとしての対話であると言うことができます。


　表現するという行為は、あなたにとってどのような意味を持つのでしょうか。まえがきにも述べたように、表現するという行為には、他者と意見を交換し、さらに今現在の自分を振り返る内省の働きがあります。話したり書いたりすることは、あなた自身の思考と表現の活動ときわめて深い関係があります。このことはすでにいろいろなところで指摘されていますし、あなたも仕事や生活の中でさまざまに体験していることでしょう。

　では、これを生活や仕事のなかの活動として考えた場合、わたしたちは何をめざして行けばいいのでしょうか。

　別の言い方をすると、何のために、わたしたちは、表現するのでしょうか。

この表現という行為と生活や仕事という活動との関係については、今まで正面から問題にされることはほとんどありませんでした。

その原因として考えられることは、表現という行為ひとつを捉えても、何を目的とするかの観点はまちまちであったといえることです。

そこで、何のために表現するのか、表現することと生活し仕事をすることはどのような関係にあるのか、この本では、こうしたことを表現という活動を素材として考えてみようというわけです。

（『対話をデザインする』より）

エピソード　自分のことばで語るときまで
――千葉くんの挑戦

自分のテーマを語るために、具体的にどのような活動をすればいいのかという質問は、今まで数多く受けてきました。現実問題として、「○○すれば、このように上達する」というような魔法の杖など存在しないのですが、それでも、そうした活動の経験や体験を持たない人にとっては、「(活動の) イメージがわかない」ということになるのでしょう。

そこで、ここでは、2000年度に当時勤務していた大学の付属高校で行った「日本語表現総合」というクラス活動を紹介しましょう(この活動の詳細は、牲川波都季・細川英雄『わたしを語ることばを求めて―表現することへの希望』〈三省堂、2004年刊〉参照)。「まえがき」でお示ししたように、この本の読者には、新書という体裁もあって、社内外でのプレゼンや企画書・報告書の作成を課題としているビジネスパーソンの方々が多いかもしれません。高校生のエピソードなら自分には関係ないという方もいると思われますが、この千葉くんのエピソードは、学生や教育関係者だけではなく、広く表現の活動とその原点について考えようとする人にとっての〈何か〉があります。とくに、本文を読んで、「じゃ、どうすればいいの？」と感じる向きは、まずこの体験記から入ってみてください。

＊

このクラスは週1回（45分×2コマ連続）の選択科目で、実際に参加した生徒の人数は高校3年の14名でした。このクラスでは、「○○と私」（○○には自分が今興味をもっている何かが入る）というタイトルで、10ページくらい（原稿用紙なら20〜30枚）のレポートを書くという活動です。

クラスのはじめに示したものは、次のような活動の考え方を説明する「表現の扉をひらく」という文章です。

表現の扉をひらく

六十億の「考えていること」

今、この地球上には、六十億人の人々が生活している。その中には、例えば、家族、民族、国家といった社会の単位によって、それぞれ異なることばを使い分けて暮らしている人たちも大勢いる。

ただ、すべての人たちに共通しているのは、だれでも「考える」ためのことばを一つもっているということだ。その考えるためのことばは、多くの場合、母親をはじめとする家族とのコミュニケーションの中で獲得されるために、「母語」と呼ばれている。

この「母語」によって、わたしたちはさまざまなことを「考え」、それを相手に伝えるために「話したり、書いたり」する。だから、この世界には六十億の「考えていること」が存在していることになるのだ。

「伝え合い、わかり合う」とは？

では、この一人一人の「考えていること」を、わたしたちはどのようにして伝え合い、わかり合うことができるのだろうか。

まず、「わたし」は「わたし」自身がさまざまに感じたことを自分の中に取り込む。それから、自分の「感じ」たことを頭の中で組み立てながら、どのような形でことばにするかを「考え」る。そして、その結果が、ことばや表情、身振り、手振りなどによって相手に示される。けれども、それだけでは、この「考えていること」が本当に伝わったかどうかはわからない。それを「わたし」が知ることができるのは、相手からのことばが「わたし」に返ってきた時だ。このとき、「ああ、伝わった。わかり合えた。」と、「わたし」は感じるのだ。

扉は内側からしかひらかない

ところが、この「伝え合い、わかり合う」ための表現の活動は、「わたし」の内側からしかひらかないしかけになっている。つまり、「わたし」自身がひらこうとしないかぎり決してひらかない扉だということだ。

この教科書は、国語表現についての知識を覚え、便利な方法を知るためだけのものではない。自分の「考えていること」を相手にわかってもらい、相手の思っていることもわかるためには、どのように表現したらいいか、その活動の道筋を示し、「わたし」自身が自らの意思で内側から扉を押しひらくのを、教室の場面で応援するものだ。

ここに示された活動を、教室の仲間たちと一緒にやり遂げたあとには、「ああ、わかり合えた。」という充実感があなたを待っていることだろう。

さあ、ここから、自分自身の手で、表現の扉をひらいてみよう。

（三省堂『国語表現Ⅰ』より）

この活動の考え方に沿って、活動の枠組みというか順番を、およそ次のように示しました。

このクラスでは何をするのか

一、テーマを決める。たとえば、「○○と私」というタイトルをつける。

二、動機メモを書く。A4判1枚（1000字）程度。動機の終わりに、必ず「私にとって○○とは――である」（仮説）を入れて締めくくること。

三、自分の仮説をぶつける相手をさがす。

四、さがした相手とじっくり話し合う。

五、話し合った結果をクラスで報告する。

六、クラスで出された意見を参考にして、自分の結論を書く。

七、下書きをクラスで検討する。

八、レポートを完成させる。

九、相互評価を行う。

この一から九までの項目が活動の順番、つまり、この活動で何をするかということです。まず、自分の興味・関心にもとづいて好きなテーマを決め、その動機のメモを書き、レポートを仕上げるという活動です。ここでは、「私にとってそのテーマは何々である」という動機をつくって、その動機を他者、だれか自分の探してきた人物に投げかけるということをします。

その探してきた相手とじっくり話し合う。ディスカッションと呼んでもいいし、インタビューと呼んでもいい。要するにじっくりと話し合う。そして、その話し合った結果をクラスで報告するわけです。

そして、今度はクラスで出された意見を参考にして、自分のテーマについての結論をまとめます。もちろん、まとめる前には下書きにして、その下書きについてみんなの意見をもらい、検討してからまとめるわけです。最後に、全員で評価活動をします。

高校での第1時間目の様子は、この活動に当時TA（ティーチング・アシスタント）として参加した牲川波都季さん（現・関西学院大学准教授）が次のように書いています。

授業は、机がたくさん並んだ自習室で始まった。自習室は机の移動が簡単なので、机を輪にする教室スタイルがつくりやすい。お互いの顔が見えて話しやすいということで、担当者である細川（以下「担当者」と呼ぶ）の授業では、いつもこうした教室スタイルが採られる。担当者が呼びかけて、ちらほら集まりかけた生徒と私、それと担当者とで机を輪にした。

まずはじめに、担当者から、このクラスの目標についてのごく簡単な説明があった。この1年で行うことは、1学期と、2・3学期で各1本ずつ、合計2本のレポートを書くということだ。そのために、学校外で人と会って取材をしたり、クラスで議論をしたりする。そうして少しずつ書きためていって、1学期、2・3学期の終わりに原稿用紙で20枚から30枚のレポートを書いて冊子にまとめることがクラスの目標だ。だから試験のために勉強する必要は全くない。また、普通の国語の授業とは違うから戸惑いもあるだろう。だけどちゃんとついてきさえすれば、全員が同じぐらいの水準のレポートを書き上げることができる。

原稿用紙20枚から30枚という分量が告げられたときには、みんなの輪の外側の私の席からも、学習者の顔からさっと血の気が引くのが見えた。おそらくそんな分量の書き物を何か書くというのは、彼らにとって人生初の体験だろう。このとき特に不満の声が上がったわけではなく、自習室は静まりかえっていたのだが、かえってその沈黙から、学習者の驚きが感じられた。（前掲書46―48ページ）

千葉くんという存在

この活動で印象的だったのは、千葉くんという生徒の存在でした。

千葉くんは、最初の活動のことを後に振り返って、「自分にとっては正直、これはいけないものを選択してしまった、という感想」をもったと記しています。

クラスに入った動機は、自分は書くことが嫌いだから、このクラスに入って、もしかすると書くことが好きになるかもしれない、というものだったようです。ところが、入ってみたら14人しかいないし、なんだかたくさん書かされそうなので嫌だと言って、二時間目は休んでしまったのです。三時間目には出てきましたが、相変わらず嫌だ嫌だと言って逃げ回っている始末です。

自分の興味・関心にもとづいて好きなテーマを決めてほしいといったのですが、それが最後まで決まらないのです。結局、一番最後になってしまいましたが、それは「一人でいることと私」というテーマでした。

なぜ決まったかというと、隣にいた生徒に「お前ボーッとして、いつも一人でいるんじゃない」と言われたというのです。それで、「一人でいることはいいかな」と考え、それをタイトルとしたというわけです。彼の場合、「興味・関心にもとづいた好きなテーマ」といっても、なかなかすぐに出てくるものではなかったようです。

ところが、最終的には、彼は、最後まで活動を続け、最終的に、卒業論文「日本語表現総合全記録」を書きあげます。この付属校では、大学と同じように、3年生に卒業論文が課されており、わたしも、この年、高校から卒業論文の指導を依頼されていました。千葉くんは、卒業論文の指導に私を選択したのです。この卒業論文は、私のクラスに参加する日々で自分が感じたことを日録風に記したもので、彼の本音が垣間見え、それをむしろ楽しんでいる千葉くんの姿が浮かび上がってきます。

その卒論の中の文章も「千葉くんのつぶやき」として数か所引用してみましょう（以下、引用は、すべて三省堂『国語表現Ⅱ』による）。

千葉くんのつぶやき（1）

一時間目の終わりごろになって、テーマが決まらないのは、ぼく一人だ。「どうしておれ一人、決まんないのかなあ。」とぼやいたら、隣のやつが言った。「おまえはいつも一人でボーッとしてるからじゃないか。」

確かにぼくはいつも一人だ。「もっといろんな友達と話したら。」と母にもよく言われる。でも、人と話すことが得意じゃない。なぜって、ぼくは一人でいることが好きだからだ。先生に、冗談半分に「『一人でいるのが好き』っていうテーマでもいいですか。」と聞いてみたら、「自分のことが書ければいいよ。」という返事。「本当ですか。」と言ったとき、ちょっとひらめくものがあった。「一人でいること」――これでいけるかもしれない。

「一人でいること」は、千葉くんにとってのテーマとなりました。ここで何を書いても大丈夫と直感した彼は、このテーマで動機を書くきっかけを発見したと言えるでしょう。

テーマの決定

このあと、千葉くんが発表した動機メモは、次の通りです。

一人でいることと私　　　　　　三年C組　千葉修作

ぼくは一人でいることが好きだ。いつごろからそういうふうになったのかよくわからないが、たぶん中学生になったくらいのときではないかと思う。小学生のときは行動力がなかったせいかもしれないが、一人でどこかに行ったりした記憶はなく、逆にどこに行くにもだれかと一緒だったような記憶がある。それがどうして中学校に入って変わったかは正直自分でもよくわからない。なぜ一人でいることが好きなのかといわれると、自分でもよくわからないのだが、おそらく自分の世界に入り込んで空想できるからだと思う。だけど一方で、一人でいるのは気の許せる友達がいないからのような気もして、ネガティブに考えることもある。今は、自分一人の時間がもてるから一人でいることが好きなのだと感じている。

このようなメモを発表し合ったあと、そのメモをめぐってグループで話し合ったところ、千葉くんの「動機メモ」に関しては、次のような意見が出されました。

佐藤さん：四行目の「一緒だった」のはどんな人？「空想」って何を考えるの？
荒井くん：まだ答えが出ていないような気がする。簡単に言えば、つっ込みが足りない。
井上さん：なぜこのテーマなのかよくわからないな。それに、ちょっと長いね。
森田くん：最後の仮説をきちんと書いたほうがいい。全体的にもっと簡潔にできると思う。

この意見をもらったあたりで、千葉くんは、次のようにつぶやいています。

つぶやき（2）

みんなからの質問の終わりごろ、先生から「なぜ一人でいることについて書くのか。」と聞かれた。「自分を見つめ直すため。」とぼくが答えたら、「何のために？」とさらに質問されたので、「自分が成長するために。」ととっさに答えた。そのときぼくは自分の考えがまだまとまっていなかったのだが、この答えはうまくいったと思う。偶然とはいえ自分の口から「自分がさらにさらに成長するために」とその理由を提示したことで、この文章を書く意味が少し見えてきたような気がした。

そこで、仮説として、「ぼくにとって一人でいることは、自分を成長させるものだ。」と付け加えた。

この段階で、千葉くんのオリジナリティがぼんやりと見えてきたようです。「とっさに答えた」と彼自身がつぶやいているように、それは予期したものではなかったようです。

ただ、担当者とのやりとりの中から、このアイデアが生まれたことが自分の自信につながったようです。

「なぜ〇〇について書くのか」が見えてきたら、次は、「〇〇とは何か」を考えてみる、という問いを出したところ、仮説を加えて、千葉くんは次のように「動機メモ」を書き直しました。

一人でいることと私　　三年C組　千葉修作

ぼくは一人でいることが好きだ。一人で自分の部屋にいるのも、一人でどこかに出かけるのも好きだ。

なぜ一人でいることが好きなのかといわれると、自分でもよくわからないのだが、おそらく自分の世界に入り込んで空想できるからだと思う。一人でいるのは気の許せる友達がいないからのような気もして、ネガティブに考えることもあるが、ぼくにとって一人でいることは、自分を成長させるために必要なものだと思う。

このあと、対話の活動に入りますが、対話をはじめる前の、彼のつぶやきは、次のようなものです。

つぶやき（3）

なぜぼくはこんなテーマで文章を書くことを選んでしまったのか。いろいろ考えていくと、どんどんわからなくなっていく。考えてみれば、確かに表面だけのつき合いの友達ばっかりで、本当に友達といえるやつは少ないな、とか、やっぱり一人ってネガティブなことなのかな、なんて思ってしまう。

「対話」の相手は、できれば年上の人がいいというアドバイスもあったけれど、母や姉には恥ずかしくてこんなことは話せない。結局同じ写真部の小野に決めた。彼は、部活動の中で、ときどき意見の食い違うこともあるけれど、けっこう話の合うところもあるおもしろいやつだからだ。だから、今回のことについて彼がどう思うかに興味があった。

対話相手を同じ写真部の小野くんに定めたことで、「一人でいること」への千葉くんの漠然としていた興味・関心が一つの問題関心へ絞られていくことがわかります。対話の対象を小野くんに絞った理由が、そのことを明快に表しています。

対話活動の報告

千葉くんは「対話」の結果を次のようにまとめて、グループに報告します。

「対話」の記録
「対話」の相手　写真部の小野くん（三年D組）
日時　十一月二十日の放課後（一時間）
場所　学校の自習室

ぼくのテーマは、「一人でいること」である。仮説は、「私にとって一人でいることは、自分を成長させるもの」だ。この仮説を小野くんに投げかけてみた。

千葉　この仮説についてどう思う。
小野「私にとって一人でいることは、自分を成長させるもの」か。
千葉　うん。
小野　あんまりそんなこと考えたことないな。

あっさり小野くんに言われてちょっと焦ったが、すぐ切り返した。

千葉　じゃ、小野にとって「一人でいること」ってなんだと思う？
小野　そんなこと考えたことないよ。

またやられた感じだったが、これで終わったら報告ができなくなると思って、ちょっと質問の方向を変えてみた。

千葉　じゃ、ふだん一人でいようとするか、それともしないか。

小野　する。友達といると疲れる。まあ、なかなかそうとは言えないけどな。

千葉　どうして友達といると疲れるの？

小野　違う考えをもっている人といると、ウザくなってくる。

千葉　ぼくは一人でいるときいろいろ考えているんだけど、きみはどうなの。

小野　考えてるよ。将来、何かおもしろいことやりたいな、っていつも思ってる。

千葉　ふだん、家では何やってる？

小野　音楽かけて、絵を描いたり、考えごとしたり。兄貴と一緒にいることがけっこうある。でも、一人でいるのも好きだよ。とにかく、おれは自分のスタイルをもちたいんだよ。自分のスタイルってのは一人でいるときにこそ生まれるもので、集団でいるとそのスタイルがなくなって流されると思うんだよ。もちろん、おれ一人じゃ生きられないけどね。

…………

小野くんの考えは自分と似てると思った。

なかでも最後のほうで彼が言い出した「自分のスタイル」の話は、自分の考えととてもよく似ていた。彼の考えを聞いて、「ああ実はおれもそうだったんだ。」と思えるようになった。ぼくは確かに人と同じということを嫌っている。ただそれを小野くんのように「自分のスタイル」ということばで表せなかっただけなのだ。もちろん、社会の中では一人では生きられないわけだけど、あえて一人で考えるということが重要なのではないか。一人でいることは孤独だというネガティブなイメージがつきまとうが、今回小野くんと語り合ったことで、そういったイメージを完全にぬぐいさることができた。これはぼくにとって、新しい発見だった。

小野くんとの対話を経て、千葉くんの問題関心は、明確な問題意識へと変容していきます。「自分のスタイル」という小野くんの一言が、千葉くんにはっきりとした問題意識を自覚させ、彼自身のテーマの発見へとつながっていくからです。ここに千葉くん自身のオリジナリティを見出すことができます。

千葉くんの「対話」の内容の報告のあと、グループでは次のようなやりとりがありました。

荒井くん：会話形式で、小野くんの話している様子がすごくよく伝わってきた。

佐野さん：動機から「対話」を経て、千葉くんの考えが少しずつ変化しているところがおもしろいと思う。

森田くん：「自分のスタイル」という小野くんの話はすごいな。

井山さん：でも、社会の中で一人じゃ生きられないいんじゃないかしら。そういうことをもうちょっと考えてほしいわ。

これを受けて、千葉くんは、次のような下書きを作成します。タイトルは「一人でいることと私」。通常、本人は一人称として「ぼく」を使用していますが、ここでは、「〇〇と私」という、こちらからの提案をそのまま受け入れたようでした。

下書き　一人でいることと私

三年C組　千葉修作

はじめに――なぜ一人が好きか――

ぼくは一人でいることが好きだ。一人で自分の部屋にいるのも、一人でどこかに出かけるのも好きだ。

なぜ一人でいることが好きなのかといわれると、自分でもよくわからないのだが、おそらく自分の世界に入り込んで空想できるからだと思う。だけど一方で、一人でいるのは気の許せる友達がいないからのような気もして、ネガティブに考えることもある。

ぼくにとって一人でいることは、自分を成長させるために必要なものだと思う。

小野くんとの「対話」

自習室で同じ写真部の小野くんと話をした。用意していた仮説を投げかけたら、「あんまり考えたことがない。」と言われてしまい、ちょっと焦ったが、「ふだん一人でいようとするか、しないか」ということについて重ねて質問した。小野くんは「する。友達といると疲れる。」と答えた。「どうして友達といると疲れるの？」と聞くと、違う価値観の相手だとうっとうしいと思ってしまうのに、そうは言えないかららしい。次に「ぼくは一人でいるときいろいろ考えてるんだけど、きみはどうなの。」と聞くと、「考えてるよ。将来、何かおもしろいことやりたいな、っていつも思ってる。」と答えてくれた。

ネガティブからポジティブへ

こんな感じで一時間が過ぎたころ、小野くんが突然、「おれは自分のスタイルをもちたいんだよ。自分のスタイルってのは一人でいるときにこそ生まれるもので、集団でいるとそのスタイルがなくなって流されると思うんだよ。」と言った。この小野くんの考えを聞いて、「ああ実はおれもそうだったんだ。」と思えるようになった。ぼくは確かに人と同じということを嫌っていた。ただそれを小野くんのように「自分のスタイル」ということばで表せなかっただけだ。

結論
一人でいることは孤独だというネガティブなイメージがつきまとっていたけれど、今回小野くんと語り合うことで、そのイメージを完全に払拭することができた。それはぼくにとって、新しい発見だった。

下書きの後の、グループでの議論は、以下のようです。

荒井くん：小野くんの話が断片的でよくわからない。もっと具体的なエピソードを入れたほうがいい。
佐野さん：仮説の出し方がちょっと唐突！　小野くんの「自分のスタイル」の出し方はもう少し工夫できると思う。
森田くん：なんか千葉くんらしい文章になってる気がする。
井山さん：「対話」の報告のときにも言ったけど、この社会では、他者がいるから自分がいるんじゃないかしら。その辺のところをもっと書き込んでほしい。

このグループでの指摘を受けて、千葉くんは、このようにつぶやいています。

つぶやき（4）

井山さんに指摘された「この社会では、他者がいるから自分がいる」ということがずっと気になっていた。ぼくたちは一人では生きていけないわけで、結局は友達や家族などとつき合いながら生きていくことになるのは当然のことだ。そして、今までそれをめんどうくさいとも思っていたが、考えてみると、家族や友達と一緒にいる時間のことを気づかせてくれるのが、一人の時間をもつことなんじゃないか。だから「他者がいて、自分がいる」という関係がわかれば、人間は一人になれるはずだ。一人の時間というのは、自己検証の時間でもあると思うから。

ここまで考えて、気づいたことがあった。ぼくは、一人でいることのポジティブな面を強調しようとしたが、自分以外の人間がいるからこそ、一人を楽しめるのだ。一人でいる時間も大切だけど、友達と一緒にいる時間も大切だと考えればいいんだ。「一人でいる」っていうのは他の人と過ごすための自分を生み出す、かけがえのない時間であると考えればいい。大切なことは、一人の時間をどれだけもち、またどう過ごすか、だ。
こんなふうに考えたとき、やっと原稿用紙に向かう気になった。

千葉くんの問題意識は、グループでのやりとりを経て、明らかに彼固有のテーマへと進化していくことがわかります。「他者がいるから自分がいる」という仲間の指摘を受けて、「他の人と過ごすための自分を生み出す」という発想が千葉くんの中に生まれ、そこから、自分自身のオリジナリティについて考えるようになります。
そして、最終的な原稿は、以下の通りです。

一人でいることと私

三年C組　千葉修作

ぼくは一人でいることが好きだ。一人で自分の部屋にいるのも、一人でどこかに出かけるのも好きだ。

なぜ一人でいることが好きなのかは、自分でもよくわからないのだが、おそらく自分の世界に入り込んで考えることができるからだ。しかし一方で、一人でいるのは気の許せる友達がいないからのような気もして、ネガティブに考えることもある。

では、なぜぼくは一人が好きなのか。それは、ぼくにとって一人でいることは、自分を成長させるために必要なものだと思うからだ。

このように考えたことについて、同じ写真部員の小野くんと話をした。比較的話の合う彼が、一人でいることをどう思っているのか興味があったからだ。自習室の奥の方で向き合って座った。最初は照れてしまったが、ぼくがインタビューの趣旨を説明すると小野くんもまじめな表情になった。

彼はぼくのように「一人でいることは、自分を成長させる」と考えたことはないということだったが、「ふだん一人でいようとするか、しないか。」と質問すると、「する。友達といると疲れる。」と答えた。友達といると疲れる理由は、価値観の違う相手だと反感を覚えてしまうかららしい。次に「一人でいるときいろいろと考えているのだけれど、小野くんはどうなのか。」と聞くと、「考えてるよ。将来、何かおもしろいことやりたいな、っていつも思ってる。」と答えてくれた。

このような感じで一時間が過ぎたころ、突然、小野くんが「おれは自分のスタイルをもちたいんだよ。」と言った。「自分のスタイルってのは一人でいるときにこそ生まれるもので、集団でいるとそのスタイルがなくなって流されると思うんだよ。」と。ぼくは少し興奮した。そして「ああ実はぼくもそうだったんだ。」と思った。小野くんの考えは自分の考えととても似ていた。確かにぼくは人と同じということを嫌っていた。ただそれを小野くんのように「自分のスタイル」ということばで表せなかっただけなのだ。一人でいることは孤独だというネガティブなイメージがあって、その一般的な考えにぼくも浸食されていた。しかし考えてみれば、小野くんが一人でいるときに、将来のことを考えていたように、ぼくも一人でいる間に、一九七〇年代のロックを聴いたり、自分の部屋を自分流にデザインしたりしながら、いろいろなことを考えてきた。一人でいることがぼくの自己形成に影響を及ぼしていたことはまちがいない。

今回小野くんと話したことで、一人でいることのネガティブなイメージを完全に払拭することができた。そして同時に「他者がいて、自分がいる」からこそ一人を楽しめるのだということにも気づいた。本当に一人だったら寂しい。だから、ぼくにとって一人の時間は、周りのみんなと一緒にいる時間のすばらしさに気づかせてくれる時間であり、同時に自分の価値観をつくり出すかけがえない時間なのだ。

千葉君は、最初は休みがちだったし、来てもほとんど発言をしませんでしたが、この活動をやっているうちにシリアスな意見も言うようになり、他の人が言ってくれると自分も言える、自分が言うと相手も言ってくれる、こういう循環を自分で自覚できるようになったようです。

最後に、彼は、次のようにつぶやいています。

つぶやき（5）

ぼくにとってこの授業は本当につらかった。授業の最中にいろいろと葛藤があったし、考えれば考えるほどつらくなって、考えるのをいつも途中でやめていた。でもこうして最後まで書いてみて、そんな自分の甘さにも気づいた。でも、とにかく書きあげられたのは、なかなか自分の考えをまとめられなかったぼくを温かい目で見てくれた先生とグループのみんなのおかげである。

千葉くんの変容

なぜ千葉くんはこのように変容したのでしょうか。ここに、ことばの活動の意味が潜んでいるとわたしは思います。

千葉くんは、はじめ徹底的に学校というものを嫌っていました。ここは、通常の高校とは違い、いわば大学の付属ですから、いろいろな意味でゆとりがあるのですが、それでも学校という権威、つまり学校性を嫌悪していたといっていいと思います。

一方で、書くことが嫌いな自分をどこかで改善しようとも考えていたようです。つまり、学校性を拒否しながら、その学校性に適応できる自分を期待していたことになります。

しかし、この「日本語表現総合」というクラスでは、「学校のことば」というのに近づけるという標準性、規範性をむしろ教師（担当者）が捨てて、一人ひとり違っていていいんだと、きみの思った通り、きみが言いたいように言えばいいんだ、ただし、きみの考えていることをちゃんと説明してほしい。このような提案をむしろ積極的に生徒たちに伝えようとしました。

こういうアプローチで迫ったことによって、自分自身の立ち位置を考えざるを得なくなった、そして、自分が書くということはどういうことかということに向き合わざるを得なくなったということができます。このプロセスから、ちょうど興味・関心から問題関心へ、そして問題意識から自分のテーマへという循環が、クラスの仲間たちとのやりとりや写真部の小野くんとの対話の中で、少しずつ姿を現してきたことがわかります。少なくとも、そのことによって、彼の「個の表現」というものが保障されたと感じたのだろうと思います。

生徒自身が考えていることがテーマ

この活動で考えていたことは、生徒一人ひとりの生活意識のところへ、わたしはどのようにして踏み込んでいけるかということでした。なぜなら、与えるべき、そして頼るべき教材のない状況の中で、担当者はあらかじめどこかで決められた答えを用意することはできないからです。

むしろ自らの問いを立て、この問いの答えを見つけ出す作業を通して、生徒自身が自分のことばを発見するのを担当者は側面からサポートするしかないと考えていました。わたしもその答えがどこにあるかはわからない。それこそが、問題を発見し解決する活動のあるべき姿なのかもしれないと考えていました。

人はいろいろな場面・状況の中で他者とコミュニケーションしながら生きています。この複合的かつ重層的な場面連続の中でことばは獲得されていきます。こう考えると、必要なのは、情報としての「教材」ではなく、身辺のさまざまな情報をことばによる活動によって、わがこととして考えていく眼ではないか。

ことばの活動の主体はあくまでも彼・彼女自身ですから、一番重要なことは、自分の「考えていること」を、本人が自分のことばを用いて表現しようとするところにあると考えました。だからこそ、ことばは生徒個人の中にあると言えるのでしょう。このときわたしのできることといえば、教室という空間でどのようにして生徒自身の「言いたいこと」を見いださせ、それを本人にいかに表現させるかだということでした。

自分の居場所としての教室

「きみは今、何を考えているの？」という問いこそ、生徒をこの社会的なやりとりの中に誘い込む、はじめの切り口だとわたしは思っています。

「きみは今、何を考えているの？」という問いの答えはさまざまですが、基本的に生徒の考えていること、言いたいことは一人ひとりの生活意識や活動目的によってすべて異なります。だから、クラス単位の活動だからといって、何も皆が同じ活動をしなければならないという理由はどこにもないとわたしは考えました。むしろ、それぞれ能力が異なり、背景が異なり、考えていることが異なるのだから、一人ひとりの作業は異なっていていいと考える方が自然でしょう。

「きみは今、何を考えているの？」という問いは、一人ひとりの生徒に答えることを要求するわけですから、むしろスムーズには運ばないのが当然でしょう。活動そのものが求めるものは一時的なスムーズさではなく、学期なり学年なりを通した全体の活動の中で子ども一人ひとりが達成する充実感とその質だとわたしは考えていました。

このように、実際のことばの活動で問題にしなければならないのは、架空の存在としての「社会」ではなく、具体的な対話者の「他者性」そのものなのだとわたしは思います。だからこそ、彼ら自身のことばの力を育てる言語活動実践とは、個を含めた、さまざまな社会形成の中で自己表現を果たすこと、すなわち他者とのやりとりによって自己を表現する力をつけることであるということなのです。このことによって、自分が自分としてあることを確認できるような、もっと簡単に言えば、「ここにいてよかった」という自分の居場所としての認識を彼ら自身が持つことなのだと思います。

自分の居場所としての認識とは、さまざまな他者との出会いでの種々のズレあるいは違和感を経験することによって成り立つとも言えます。この場合、ズレあるいは違和感は、解消されるべき障害やトラブルなのではなく、人間のコミュニケーションに当然あるべきこととして把握される事柄です。なぜなら、場面認識はすべて話者の世界のことだからであり、こうしたすべての差異があってはじめて人と人の関係性が成立すると言えるからです。

「異なるもの」として他者を捉えることは、新しい個と個の信頼関係における、ゆるやかで友好的な連帯を創造することでもあるとわたしは考えました。そして、彼ら自身の他者との協働意識が、その個人に固有の文化を築き、やがてはコミュニティとしての社会参加の意識を育んでいきます。そのような空間をどのように組織化し一人ひとりをいかに支援していくことができるかが、わたしの仕事だと実感しました。

「今、きみは何を考えているの?」

すべてはこの問いから始まることを、高校での活動の経験は、わたしに教えてくれたのです。

(細川英雄『研究活動デザイン―出会いと対話は何を変えるか』〈東京図書、2012年〉より一部改変)

あとがき

自分の〈ことば〉をつくるとは、自分のテーマを持って自己および他者と対話すること。

――この本で言いたいことは、この一言に尽きる。たとえば、人前で話したり作文を書いたりすることが苦手な中学生・高校生およびその指導の先生方、固有のテーマで〈考えていること〉をまとめようとする大学生・大学院生、そして組織のなかで自らをとりもどそうとしているビジネスパーソンをはじめとして、広く表現活動に関心を有する人にとって、自分のテーマを持つことの意味は大きい。

前著『対話をデザインする』で、対話の究極は、自らのテーマをもって他者とともに生きることという原理を示したところ、自分のテーマはどのようにしたら持てるのかという質問を数多くいただいた。

自分のテーマを持つという課題は、大学院修士課程の学生が研究課題に取り組むために不可欠なことでもあるので、当時の学生指導も兼ねて、かつて『論文作成デザイン』という本を書いたのだが、ちょうどこの本が版元で絶版になってしまったため、もう少し広い読者向けの一般書として書き直しを考えていたところ、ディスカヴァー携書の話と重なった。

少し前に、辞書編纂者の飯間浩明さんから紹介していただきながら、心苦しく思っていたところ、今回の出版により長年の約束を果たすことができ、わたしとしては幸せという他はない。編集を担当してくださったディスカヴァー・トゥエンティワンの藤田浩芳さんには、終始面倒を見ていただいた。深く御礼申し上げたい。

もともとは、論文・レポートの書き方を、方法というよりは考え方という観点から書いたものなのだが、世の中で論文・レポートを書く人はさほど多くないという状況を踏まえ、表現活動という観点から広く表現に関心を持つ層に向けて再構成を考えてみた。その結果、表現活動とは何かという、かなり大きな問いにわたし自身が向き合うことになった。

一昨年以来のコロナ状況の中で、離れて暮らす娘家族との行き来もままならなくなり、週一度のヴィデオ・チャットのほかに、中学生になったばかりの孫の悠吾とは、ＬＩＮＥのやりとりも始めた。

その悠吾に原稿下書きの一部を見せて気に入ったところがあるか尋ねたところ、「『自分の考えていることがよくわからないときはどうすればいいだろう。それはまず、ことばにしてみることだ』ていうとこかな」というLINEメッセージをくれた。改めて書きだす元気をもらった彼に、この本を贈り、自分のことばをつくることをめざしてほしいと思う。

大体の枠組みができた後の最後の詰めのところで、例によって、やや行き詰まってしまい、四苦八苦するなか、秋田大学の市嶋典子さんには学生指導の観点から、フェリス女学院大学の工藤理恵さんには博士課程の立場から、それぞれ貴重なアドバイスをいただき、自分のことばで表現したいと願う多くの人たちへの応援の書として、この本を世に問うことになった。

出版にあたり、若き哲学者・教育学者、苫野一徳さんからは帯に「痛快」な推薦文をいただいた。改めて御礼申し上げる。

2021年7月　梅雨明けの八ヶ岳南麓にて

細川英雄

参考文献

梅田悟司『「言葉にできる」は武器になる。』日本経済新聞出版社、2016年

児玉明子『地球の涙：地球を背負った9年間の人生漂流ストーリー Kindle版』2021年

佐藤慎司・佐伯胖（編）『かかわることば―参加し対話する教育・研究へのいざない』東京大学出版会、2017年

牲川波都季・細川英雄『わたしを語ることばを求めて―表現することへの希望』三省堂、2004年

苫野一徳『「自由」はいかに可能か―社会構想のための哲学』NHKブックス、2014年

原野守弘『ビジネスパーソンのためのクリエイティブ入門』クロスメディア・パブリッシング、2021年

平田オリザ『対話のレッスン―日本人のためのコミュニケーション術』講談社学術文庫、2015年

細川英雄『研究計画書デザイン―大学院入試から修士論文完成まで』東京図書、2006年

細川英雄『論文作成デザイン―テーマの発見から研究の構築へ』東京図書、2008年

細川英雄『「ことばの市民」になる―言語文化教育学の思想と実践』ココ出版、2012年

細川英雄『研究活動デザイン―出会いと対話は何を変えるか』東京図書、2012年

細川英雄『対話をデザインする―伝わるとはどういうことか』ちくま新書、2019年

細川英雄・太田裕子（編）『キャリアデザインのための自己表現―過去・現在・未来を結ぶバイオグラフィ』東京図書、2017年

三代純平・米徳信一（編）『産学連携でつくる多文化共生―カシオとムサビがデザインする日本語教育』くろしお出版、2021年

北出慶子・嶋津百代・三代純平（編）『ナラティブでひらく言語教育―理論と実践』新曜社、2021年

ディスカヴァー携書
231

自分の〈ことば〉をつくる
あなたにしか語れないことを表現する技術

発行日　2021年8月20日　第1刷
　　　　2021年12月15日　第4刷

Author　細川英雄
Book Designer　國枝達也
Publication　株式会社ディスカヴァー・トゥエンティワン
〒102-0093　東京都千代田区平河町2-16-1 平河町森タワー11F
TEL　03-3237-8321（代表）　03-3237-8345（営業）
FAX　03-3237-8323
https://d21.co.jp/

Publisher　谷口奈緒美
Editor　藤田浩芳

Store Sales Company
安永智洋　伊東佑真　榊原僚　佐藤昌幸　古矢薫　青木翔平
青木涼馬　井筒浩　小田木もも　越智佳南子　小山怜那　川本寛子
佐竹祐哉　佐藤淳基　佐々木玲奈　副島杏南　高橋雛乃　滝口景太郎
竹内大貴　辰巳佳衣　津野主揮　野村美空　羽地夕夏　廣内悠理
松ノ下直輝　宮田有利子　山中麻吏　井澤徳子　石橋佐知子　伊藤香
葛目美枝子　鈴木洋子　畑野衣見　藤井かおり　藤井多穂子
町田加奈子

EPublishing Company
三輪真也　小田孝文　飯田智樹　川島理　中島俊平　松原史与志
磯部隆　大崎双葉　岡本雄太郎　越野志絵良　斎藤悠人　庄司知世
中西花　西川なつか　野﨑竜海　野中保奈美　三角真穂　八木眸
高原未来子　中澤泰宏　伊藤由美　俵敬子

Product Company
大山聡子　大竹朝子　小関勝則　千葉正幸　原典宏　藤田浩芳
榎本明日香　倉田華　志摩麻衣　舘瑞恵　橋本莉奈　牧野類
三谷祐一　元木優子　安永姫菜　渡辺基志　安達正　小石亜季

Business Solution Company
蛯原昇　早水真吾　志摩晃司　野村美紀　林秀樹　南健一　村尾純司

Corporate Design Group
森谷真一　大星多聞　堀部直人　井上竜之介　王廳　奥田千晶
佐藤サラ圭　杉田彰子　田中亜紀　福永友紀　山田諭志　池田望
石光まゆ子　齋藤朋子　福田章平　丸山香織　宮崎陽子　阿知波淳平
伊藤花笑　岩城萌花　岩淵瞭　内堀瑞穂　遠藤文香　王玮祎
大野真里菜　大場美範　小田日和　加藤沙葵　金子瑞実　河北美汐
吉川由莉　菊地美恵　工藤奈津子　黒野有花　小林雅治　坂上めぐみ
佐瀬遥香　鈴木あさひ　関紗也乃　高田彩菜　瀧山響子　田澤愛実
田中真悠　田山礼真　玉井里奈　鶴岡蒼也　道玄萌　富永啓
中島魁星　永田健太　夏山千穂　原千晶　平池輝　日吉理咲　星明里
峯岸美有　森脇隆登

Proofreader　文字工房燦光
DTP　株式会社RUHIA　図版制作：荒井雅美（トモエキコウ）
Printing　共同印刷株式会社

・本書へのご意見ご感想は下記からご送信いただけます。
https://d21.co.jp/inquiry/

ISBN978-4-7993-2775-3

携書ロゴ：長坂勇司
携書フォーマット：石間　淳